미지의 걸작

옮긴이 김호영

서강대학교를 졸업하고 프랑스 파리8대학에서 문학 박사학위를, 고등사회과학연구원(EHESS)에서 영화학 박사학위를 받았다. 현재 한양대학교 프랑스학과 교수로 재직중이다. 지은 책으로 『시간은 다른 얼굴로 되돌아온다』, 『프레임의 수사학』, 『아무튼, 로드무비』, 『영화관을 나오면 다시 시작되는 영화가 있다』, 『영화이미지학』, 『프랑스 영화의 이해』 등이 있고, 옮긴 책으로 조르주 페렉의 『인생 사용법』, 『공간의 종류들』, 『겨울 여행/어제 여행』, 『어느 미술애호가의 방』, 『보통 이하의 것들』, 발자크의 『미지의 걸작』, 자크 오몽의 『영화 속의 얼굴』, 장 자크 상페의 『얼굴 빨개지는 아이』 등 다수의 역서가 있다.

미지의 걸작

초판 1쇄 2019년 1월 10일
초판 7쇄 2025년 3월 15일

지은이 오노레 드 발자크
옮긴이 김호영
디자인 김정환
표지 일러스트 박소정

펴낸이 박소정
펴낸곳 녹색광선
이메일 camiue76@naver.com

ISBN 979-11-965548-0-4(03860)

이 도서의 국립중앙도서관 출판예정도서목록(CIP)은 서지정보유통지원시스템 홈페이지와
국가자료공동목록시스템에서 이용하실 수 있습니다.(CIP 제어번호: 2018039489)

미지의 걸작

목차

책 머리에

파리의 로댕 미술관(Musée Rodin) 정원에는 로댕이 말년에 주조한 발자크 동상이 서 있다. 이 작품은 우리가 익히 보아왔던 로댕의 다른 작품들과는 조금 다르다. 그것은 세부적인 신체 표현이 생략된, 몽상에 잠긴 채 살짝 고개를 뒤로 젖힌 약 3미터 높이의 동상이다. 이 기묘한 동상은 공개되자마자 엄청난 혹평에 시달렸다. 그럼에도 불구하고 로댕은 이 동상이 자신의 필생의 역작이며 미학적 동력이라고 선언했다. 그는 발자크의 삶의 정수를 요약해 작품 속에 반영하고자 몇 해를 그의 생애와 작품에 완전히 몰두했기 때문이다. 로댕은 이 소설가의 어떤 부분에 영감을 받아 스스로 필생의 역작이라 일컫는 작품을 탄생시킨 것일까?

발자크의 삶에 큰 영감을 받은 위대한 예술가가 또 있다. 독일의 대문호 슈테판 츠바이크다. 그는 몇 년간 세밀한 자료 조사를 마친 뒤, 발자크의 삶과 문학을 그려내는 데 자신의 남은 생을 모두 바치기로 결심한다. 그리고 유작이자 전기 문학의 최고봉으로 손꼽히는 『발자크 평전』이 탄생한다. 하지만 『발자크 평전』을 통해 위대하고 고결하게 살아간 인물의 일대기를 기대했던 사람이라면 실망을 금할 수 없게 될 것이다. 그는 속물인 동시에 결핍으로 가득한 사람이었기 때문이다.

"조만간 나는 한재산 장만할 겁니다. 문필가로서, 아니면 정치계에서, 아니면 언론계에서, 아니면 결혼을 통해서, 아니면 어떤 사업상의 일확천금을 통해서 말입니다."

발자크가 서른 두 살에 그의 어머니에게 보낸 편지 중에서 -

츠바이크의 평전에서 묘사되고 있는 것처럼, 발자크는 생애 내내 간절히 돈을 원했다. 부를 통해 무한한 자유를 누릴 수 있을 것이라고 생각했기 때문이다. 이러한 욕망의 신기루가 그로 하여금 다양한 사업을 벌이도록 만들었다. 그러나 출판업, 인쇄업, 광산업, 가구업에 이르기까지 그가 벌인 모든 일들은 하나같이 감당하기 힘든 빚을 안겨주었다. 그는 순식간에 소설을 써내어 돈을 벌어들였지만 다시 사업에 투자하고,

어김없이 실패를 맛보았다. 실패 끝에 늘 그를 기다리고 있었던 것은 작업실에 스스로를 유배시킨 채 끊임없이 쓰고 또 써야만 하는 일상이었다.
결혼에 대해서조차 발자크에게는 속물적 가치가 최우선이었다. 그는 채무를 갚아주고 신분상승을 이뤄줄 귀족 여인을 평생 동안 찾아 헤맸다. 쉰 살이 넘어 귀족 부인 한스카와의 혼인으로 숙원이던 상류사회 입성을 눈앞에 두었으나, 운명의 장난처럼 과로로 쓰러져 결혼 몇 달만에 허망하게 생을 마감한다.
평민의 아들이면서도 반드시 자신의 이름에 귀족의 상징인 '드(de)'를 넣어 '오노레 드 발자크'로 불리기를 고집했던 남자. 이러한 삶을 살아간 이가 창조한 작품들은 과연 어떠했을까?

그의 삶을 알고 나면, 발자크가 문학에 있어서만큼은 감히 상상할 수 없을 정도의 성취를 이뤄냈다는 점이 참으로 아이러니하게 느껴진다. 밤 12시부터 시작된 작업은 다음날 오후가 되어서야 끝이 났고, 수도사 복장을 한 채 독한 커피에 의존하면서(살아생전 그가 작업을 위해 마신 커피는 약 5만 잔에 달하는 것으로 추정된다.) 보통 사람이 결코 흉내 낼 수 없는 노동 강도로 글을 써 내려갔다. 그리고 그 글들은 문학 역사에서 그 유래를 찾기 힘들 정도로 방대한 세계를 구축해냈다. 그가 창작한 소설들을 집대성한 『인간 희극』은 90편이 넘는 작품들로 구성되어 있으며 등장인물만 2,000명에 이르는 한 사회의 축소판이다. 언젠가 그가 나폴레옹의 초상화 아래에 적었던 '그가 칼로 이루지 못한 것을 내가 펜으로 이룰 것이다'라는 문구는 결코 과장이 아니었다.

놀라운 것은, 삶의 파국이 거듭 되는 순간에도 그의 창작열은 집요하게 불타올랐다는 점이다. 어쩌면 로댕과 츠바이크는 실패 속에서 더욱 굳건해지는, 인간의 질기고도 강인한 집념을 발자크에게서 발견해 낸 것인지도 모른다.

발자크가 창조해 낸 수많은 인물들은 어떤 인물이건 간에 결코 미지근한 태도를 보여주는 법이 없다. 그의 작품들은 소설임에도 등장인물들의 생생한 욕망 때문에 더욱 사실적인 생명력을 획득하게 된다. 인간의 결핍과 욕망을 무섭도록 직관한 그 통찰력이, 오늘날에도 그의 작품을 지속적으로 읽게 만드는 이유라 할 수 있다. 그것은 발자크 자신이 결핍과 욕망을 쫓아 평생을 몸부림치며 살아왔기에 가능한 일일 것이다.

발자크의 수많은 작품들 중 오늘날 독자들에게 더욱 특별한 의미와 아름다움으로 다가갈 수 있는 이야기가 무엇인지 고심한 끝에, 두 가지 소설을 선정해 출판하게 되었다. 그 계기는 미국의 철학자 마샬 버만이 "한 시대가 단지 혼란과 불일치만을 보게 되는 어떤 것에 대해, 그 다음 시대는 거꾸로 그 의미와 아름다움을 발견하게 되기도 한다."라고 이야기 한 데서 기인한다. 두 소설 모두 발자크가 표현하고자 했던, 인간 안에 내재된 욕망의 모습들을 선명하게 잘 드러내고 있다.

우선 책에 첫 번째로 실린 소설 『영생의 묘약』은 호색한의 대명사 돈 후안(Don Juan)을 통해 영원한 삶이라는 불가능한 영역을 욕망하는 인간을 보여준다. 매우 방탕하지만 어찌 보면 자유로운 삶을 살았다고 해석할 수도 있는 이 캐릭터는 많은 예술가들에게 영감을 선사하여 여러 형태의 작품으로 창작되곤 했다. 스페인 작가 티로스 데 몰리나가 1630년에 돈 후안 이야기를 소설화했고, 프랑스 작가 몰리에르는 『동 쥐앙 또는 석상의 잔치』라는 극을 썼다. 모차르트는 오페라 〈돈 지오반니〉를 작곡해 큰 성공을 거두었고, 현대 러시아 안무가 보리스 에이프만은 발레 〈돈 주앙과 몰리에르〉를 창조해냈다.
끊임없이 상대를 유혹한 후 그것이 달성되는 순간 여자를 버리는 행위를 거듭하다가, 종국에는 자신이 지은 죄로 말미암아 지옥으로 끌려간다는 것이 돈 후안의 일반적인 줄거리이다. 그런데 발자크는 이 일반적인 돈 후안의 이야기와는 조금 다른 줄거리로 늙음과 죽음에 관한 흥미로운 소설을 만들어냈다. 발자크의 돈 후안은 우연히 손에 넣게 된 영생의 묘약을 통해 자연의 섭리를 거부하고 부활을 꿈꾸는 인물로 그려진다.

이 책의 두 번째 소설이며 표제작이기도 한 『미지의 걸작』은 '미술'이라는 주제를 직접적으로 다룬다. 소설의 주인공은 아직 세상에 존재하지 않는 걸작을 완성하고자 하는 노화가(프렌호퍼)이다. 16세기에서 17세기까지 한 시대를 풍미했던 루벤스,

렘브란트, 티치아노, 홀바인, 뒤러, 라파엘로 같은 실제 대가들의 화풍을 언급하면서(작품에 등장하고 언급되는 화가들은 주인공 프렌호퍼를 제외하고 모두 실존했던 화가들이다), 발자크는 주인공 프렌호퍼의 입을 통해 자신의 해박한 미술이론을 한껏 펼쳐 보인다. 그리고 그의 뛰어난 상상력은 거기서 그치지 않고 한 발 더 나아가, 이야기를 예상치 못한 방향으로 끌고 간다.

완벽한 형태와 본질에 도달하려 했던 화가의 이야기는 출간 당시보다 후대로 갈수록 더 많은 이들의 경탄을 불러일으켰다. 폴 세잔은 이 소설을 읽은 직후 깊은 감명을 받아 "프렌호퍼가 바로 나다!"라고 외쳤고, 피카소는 1930년경 기꺼이 이 소설의 삽화를 맡아 그렸다. 현대에 이르러서도 '영화 작가들의 영화 작가'로 불리는 프랑스 감독 자크 리베트가 이 소설에 영감을 받아 〈누드 모델La belle noiseuse〉이라는 영화를 만들었다.
더욱 놀라운 사실은 이 소설이 단지 예술가들에게만 영감을 준 것이 아니라는 것이다. 칼 마르크스는 『자본론』 출간을 앞두고 그의 동지인 엥겔스에게 '유쾌한 역설로 가득한 소설' 이라며 이 책을 꼭 읽어보기를 권했다. 발자크 소설의 애독자였던 그는, 발자크를 부르주아 사회의 단면을 가장 예리하게 파헤치는 작가라고 극찬하기도 했다. 엥겔스 또한 『발자크론』을 쓰면서 그를 위대한 리얼리스트로 칭하였다.

발자크 자신이 바라던 것들을 향해 걸어 들어가기를 단 한 번도 주저하지 않았던 것처럼, 두 편의 소설 속에서 그가 창조해 낸 주인공들 또한 불가능해 보이는 욕망 속으로 진격한다. 그리고 그 불가능의 세계와 격렬하게 충돌한다. 그토록 강렬하고 억누를 수 없는 욕구가 그들을 어디로 데려가는지, 종국에는 어디에 이르게 되는지, 독자 여러분은 아마도 제각각의 결론에 도달하게 될 것이다. 가령, 지나친 욕망은 해롭다고 생각하거나, 혹은 파멸에 이른다 해도 어떤 것을 뜨겁게 욕망하기로 결심하거나.

2019년 1월

녹색광선 편집부

영생의 묘약

L'Elixir de longue vie

영생의 묘약

어느 겨울밤, 페라라[1]의 한 호화로운 저택에서 돈 후안 벨비데로는 에스테 가(家)의 왕자를 위해 연회를 베풀었다.
그 당시, 연회는 대단한 부자나 권력을 가진 영주만이 열 수 있는 굉장한 구경거리였다. 즐거워 보이는 일곱 명의 여인들이 향초를 밝힌 테이블 주위에 둘러 앉아 달콤한 대화를 나누고 있었다. 그녀들 주변에는 훌륭한 걸작들이 걸려 있었는데, 작품들의 대리석 판(板)이 붉은 석회 벽 위에서 두드러져 보였고 값비싼 터키산(産) 카펫과도 대조를 이루었다. 그녀들의 눈보다는 덜 빛나긴 하지만 반짝이는 금과 보석들로 치장한 여인들은 새틴 드레스를 입고서 모두 열정적인 사랑에 대해 얘기했다.
그녀들의 사랑은 그녀들의 미모가 서로 다르듯 아주 다양했다. 하지만 그녀들의 말이나 생각에는 차이가 없었다. 단지 표

---

1 이탈리아의 도시. 베네치아 남서쪽에 있음. 이 소설의 주요 배경은 16세기의 페라라이다.

정이나 시선, 몇몇 제스처들, 어조가 그녀들의 대화에서 방탕하거나 선정적이거나 우울하거나 비꼬는 의도를 드러냈다.

한 여인은 이렇게 말하는 듯했다.
"내 아름다움은 노인들의 얼어붙은 심장을 다시 뜨겁게 만들 수 있어요."

다른 여인은 "난 쿠션을 베고 누워서 나를 사랑하는 이들에 대해 넋 놓고 생각하는 것을 좋아해요."라고 하는 듯 했다.

이런 연회가 처음인 세 번째 여인은 얼굴을 붉히며 말했다.
"저는 가슴 깊이 양심의 가책을 느껴요. 전 가톨릭 신자이고 지옥이 두려워요. 하지만 저는 여러분을 너무, 아! 너무너무 사랑하기 때문에 여러분을 위해 내세를 희생할 수 있어요."

네 번째 여인은 키오스 포도주 한 잔을 비우더니 이렇게 소리쳤다.
"황홀함이여 만세! 나는 매일 새벽이 밝을 때마다 새로운 인생을 살 거예요! 과거를 잊고 지난밤 격정에 그대로 취해 있을 거고요. 매일 나는 행복한 삶을, 사랑 가득한 삶을 만끽할 거예요!”

돈 후안 벨비데로 근처에 앉아 있던 여인은 타오르는 듯한 눈으로 그를 쳐다보았다. 그녀는 조용히 말했다.
“내 애인이 나를 버린다고 해서 자객(刺客)을 시켜 그를 죽여 버리진 않을 거예요!”
그리고 웃었는데, 발작적인 그녀의 손짓이 기막히게 세공된 황금 당과그릇을 깨트렸다.

“언제 대공(大公)이 되죠?”
하고 여섯 번째 여인이 에스테 가의 왕자에게 물었다. 그녀의 치아 사이로 잔인한 기쁨이 새어 나왔고, 눈에서는 술로 인한 착란이 어른거렸다.

“당신, 당신 아버지는 언제 죽죠?”
일곱 번째 여인이 돈 후안에게 웃으며 말한 후, 술에 취해 익살스러운 동작으로 꽃다발을 던졌다. 그녀는 모든 신성한 것들을 갖고 노는 데 익숙한 천진난만한 여자아이 같았다.

"아! 그 얘기는 하지 맙시다." 젊고 잘생긴 돈 후안 벨비데로가 말했다. "이 세상에 영생하는 아버지가 한 사람 있는데, 불행하게도 내가 바로 그분의 아들이죠!"

페라라의 화류계 여인들 일곱 명과 돈 후안의 친구들, 왕자조차도 두려움의 비명을 내질렀다. 이백년 후 루이 15세 치하에서 풍류를 아는 사람들은 이런 도발적인 말에 웃었을 것이다. 하지만 요란한 연회의 초반이라 사람들의 영혼이 아직 지나치게 온전한 상태였던 걸까? 촛불과 뜨거운 사랑의 외침, 금과 은으로 장식된 꽃병 형상, 포도주의 취기, 아주 매혹적인 여성들의 시선에도 불구하고, 어쩌면 가슴 깊숙한 곳에 인간적이고 신적인 것에 대해 약간의 부끄러움이 남아 있던 걸까? 거품 이는 포도주의 마지막 물결 속에 연회가 완전히 잠겨버리기 전까지 남아서 투쟁하는 그 부끄러움 말이다. 어쨌든 이미 꽃들은 다 흐트러져 있었고, 눈에선 얼이 빠져 있었으며, 취기는 라블레의 표현을 따르자면 샌들 끝까지 내려와 있었다.

그 침묵의 순간에 문이 열렸다. 그리고 발타자르의 연회에서 신이 모습을 드러냈던 것처럼, 백발의 늙은 하인이 눈살을 찌푸린 채 휘청거리는 걸음으로 나타났다. 그는 슬픈 표정으로 들어오더니 비난하는 듯한 눈길로 화관과 도금한 술잔, 피라미드처럼 쌓은 과일, 화려한 연회, 진홍빛의 놀란 얼굴들, 여성들의 하얀 팔에 눌린 색색의 쿠션들을 바라보았다. 마침내 그는 이 광기에 슬픔을 더하려는 듯 낮게 울리는 목소리로 침울한 이야기를 전했다.
“나리, 아버님께서 곧 돌아가실 것 같습니다.”
돈 후안은 일어나서 손님들에게 몸짓을 보냈다. 그 몸짓은 ‘죄송합니다, 매일 일어나는 일은 아니라서요.’라고 말하는 듯했다.
인생의 찬란함 한가운데 있는, 한창 연회에 대한 생각에 빠져있는 젊은이에게 아버지의 죽음이란 그리 놀라운 일이 아닌걸까? 죽음은 화류계 여인이 거만을 떨 때 그러는 것처럼, 변덕을 부리다가 갑자기 다가온다. 하지만 화류계 여인보다 더 정직한 죽음은 결코 누구도 속이지 않는다.

돈 후안은 방문을 닫고 나가 춥고 어두운 긴 회랑을 따라 걸으면서 연극적인 태도를 취해 보려 애썼다. 그는 아들로서의 그의 역할을 생각하며 즐거웠던 기분을 냅킨과 함께 던져 버렸다. 밤은 어두웠다. 말 없는 하인은 젊은이를 죽어가는 이의 방으로 안내했지만 제대로 불을 밝히지 못했다. 하지만 어쩌면 그 때문에 '죽음'이 추위와 침묵과 어둠의 도움을 받아, 취기에 대한 반작용의 도움을 받아, 이 인생 낭비자의 정신 속에 약간의 성찰을 끌어들일 수 있었는지 모른다. 돈 후안은 자신의 삶에 대해 질문했고, 법정을 향해 걸어가는 소송 중인 사람처럼 생각에 잠겼다.

돈 후안의 아버지인 바르톨로메오 벨비데로는 인생의 대부분을 여러 종류의 상업에 바친 구십대 노인이었다. 그는 동양의 신비한 지방들을 자주 돌아다니면서 막대한 부를 쌓았고, 그의 말에 따르면 이제는 거의 관심도 없는 금과 다이아몬드보다 더 귀중한 지혜를 얻었다.

"나는 루비 한 개보다 이빨 하나가, 학식보다 권력이 더 좋아."

그는 종종 웃으며 이렇게 외치곤 했다. 이 다정한 아버지는 돈 후안이 이야기하는 젊음의 경솔한 언동들을 듣는 걸 좋아했다. 그리고 그에게 아낌없이 금을 쥐어 주면서 놀리는 듯한 표정으로 말하곤 했다.

"사랑하는 아들아, 바보짓을 해도 네가 재미있는 것만 하거라."

그는 젊은이를 바라보는 것만으로도 기쁨을 느끼는 유일한 노인이었다. 아버지로서의 사랑은 눈부신 아들의 삶을 바라보는 것만으로도 스스로의 노쇠함을 잊게 해 주었다.

육십 살에, 바르톨로메오 벨비데로는 평화와 아름다움의 천사와 사랑에 빠졌다. 돈 후안은 이 일시적이고 뒤늦은 사랑의 유일한 결실이었다. 십오 년 전부터 노인은 그의 사랑하는 후아나를 잃은 것을 슬퍼해 왔다. 그의 많은 하인들과 아들은 노인에게 생긴 이상한 습관들을 이 고통의 탓으로 여겼다. 바르톨로메오는 그의 저택에서 가장 불편한 구석방에 은신한 후 아주 가끔씩만 밖으로 나왔다. 돈 후안조차도 허락 없이는 아버지의 방에 들어갈 수 없었다. 이 자발적인 은둔자가 저택이나 페라라의 거리를 오갈 때는 마치 잃어버린 어떤 것을 찾는 사람처럼 보였다. 그는 어떤 상념이나 추억과 싸우는 사람처럼 무언가에 몰두하면서, 온통 몽상에 잠겨 불안정하게 걸어 다녔다.

젊은이가 호사로운 연회를 베푸는 동안, 기쁨의 소리들이 저택에 울려 퍼지는 동안, 말들이 안뜰에서 앞발로 땅을 차는 동안, 시동(侍童)들이 주사위놀이를 하며 서로 다투는 동안, 바르톨로메오는 하루에 빵 칠 온스만 먹었고 물을 마셨다. 약간의 닭고기를 주문할 때는 그의 충실한 동반자인 검은 스패니얼에게 뼈를 주기 위해서였다. 그는 시끄러운 소리들에 전혀 불평하지 않았다. 병을 앓는 동안 나팔 소리와 개 짖는 소리가 잠든 그를 갑자기 깨워도 이렇게 말하는 데 그쳤다.

“아! 돈 후안이 집에 들어오는구나.”

지상에서 이처럼 편안하고 이처럼 너그러운 아버지는 결코 만나지 못하리라. 젊은 벨비데로는 격식 없이 아버지를 대하는 데 익숙해 있었고, 버릇없이 자란 아이의 모든 결점을 다 갖추고 있었다. 그는 변덕스러운 화류계 여인이 늙은 애인과 사는 것처럼 아버지 바르톨로메오와 살았다. 미소로 그의 무례함을 용서받았고, 자신의 즐거운 기분을 팔았으며, 아버지가 마음껏 사랑하도록 내버려 두었다.

어린 시절의 추억을 곰곰이 되돌아보면서, 돈 후안은 아버지의 너그러운 사랑에서 결점을 찾기 어렵다는 것을 깨달았다. 회랑을 지나가는 동안 가슴 깊은 곳에서 후회가 솟아나는 것을 느꼈고, 아버지 벨비데로가 그토록 오래 산 것을 거의 용서해 줄 수 있다고 느꼈다. 마치 훔친 돈 백만 리라의 기쁨 덕분에 도둑이 정직한 사람이 되는 것처럼, 그는 효심의 감정으로 돌아왔다.
곧 젊은이는 아버지 거처의 높고 추운 방들을 건너갔다. 축축한 공기의 흐름을 느꼈고, 먼지로 뒤덮인 오래된 장식융단과 수납장들이 내뿜는 역한 냄새와 짙은 공기를 들이마셨다. 그는 노인의 고풍스러운 방에 들어가, 거의 꺼져가는 난로 옆의 악취가 나는 침대 앞에 섰다. 고딕양식의 탁자 위에 놓인 램프 하나가 침대를 향해 넓고 다소 강한 빛줄기를 불규칙한 간격으로 보내고 있었고, 그 때문에 노인의 얼굴이 매번 다른 모습으로 나타났다. 또, 제대로 닫히지 않은 창문을 통해 찬바람이 휘파람소리를 내며 들어왔고, 눈발이 둔탁한 소리를 내면서 유리창을 후려쳤다. 이 광경이 자신이 방금 두고 온 광경과 너무나 부조화스러운 대조를 이루어서, 돈 후안은 소스라치게 몸을 떨지 않을 수 없었다. 잠시 후 침대로 다가갔을 때, 불어오는 바람으로 인해 불빛이 심하게 흔들리며 아버지의 얼굴을 비추자 그는 차갑게 얼어붙고 말았다. 아버지 얼굴의 윤곽선이 모두 무너져 있었기 때문이다. 뼈에 찰싹 달라붙은 살갗은 푸르스름한 색조로 변해 있었고 노인이 베고 있는 베개의 흰색과 어우러지며 더욱 끔찍하게 보였다. 고통으로 수축되고 이빨이 다 빠진 반쯤 열린 입에서 몇 번의 한숨이 새어나왔는데, 그 음산한 에너지는 격렬한 폭풍 소리 덕분에 유지되는 것 같았다.

이 모든 파멸의 신호들에도 불구하고, 노인의 얼굴에서는 믿을 수 없는 성질의 힘이 번쩍였다. 어떤 비범한 정신이 그곳에서 죽음과 싸우고 있었다. 병으로 움푹 팬 바르톨로메오의 두 눈은 기이하게 고정되어 있었다. 마치 죽어가는 이의 시선으로 침대 발치에 앉아 있는 어떤 적을 죽이려 하는 것 같았다.

차갑고 고정된 시선은 노인의 머리가 의사의 사무실 책상에 놓인 두개골처럼 전혀 움직이지 않았기 때문에 더욱 소름끼치게 느껴졌다. 몸을 둘러싼 침대보로 몸의 윤곽이 드러났는데, 노인의 사지 역시 뻣뻣하게 굳어 있음을 알 수 있었다. 눈을 제외한 나머지가 모두 죽어 있었다. 입에서 새어나오는 소리는 거의 기계음처럼 들렸다. 돈 후안은 가슴에 화류계 여인의 꽃을 매단 채 연회의 향기와 포도주 냄새를 풍기며 죽어가는 아버지의 침대 곁에 온 것에 부끄러움 비슷한 걸 느꼈다.

"재미있게 놀고 있었구나!"

노인이 그의 아들을 알아보고 말했다.

그 순간, 회식의 흥을 돋우기 위해 초대된 한 여가수의 맑고 경쾌한 목소리가 이 죽음의 방까지 울려 퍼졌다. 그녀의 목소리는 반주하는 비올라의 화음 덕분에 매우 견고했고 거친 폭풍우 소리도 이겨냈다. 돈 후안은 그의 아버지에게 가해지는 이 잔인한 확인의 소리를 듣고 싶지 않았다.

바르톨로메오가 말했다.

"널 원망하는 게 아니란다, 아들아."

부드러움으로 충만한 이 말은 돈 후안을 아프게 했다. 그는 가슴을 찌르는 아버지의 이 다정함을 용서할 수 없었다.

"제가 얼마나 양심의 가책을 느끼는지 모르실 거예요, 아버지!" 그는 위선적으로 말했다.

"가엾은 후아니노[2]," 죽어가는 이가 흐릿한 목소리로 말했다. "내가 언제나 너에게 이처럼 다정했으니, 네가 나의 죽음을 바라지는 않겠지?"

"오!" 돈 후안이 소리쳤다. "제 목숨의 일부를 바쳐서라도 아버지를 살릴 수 있다면 좋겠어요!"

이 탕자는 생각했다. '이런 말은 언제든 해줄 수 있지. 이건 내 애인에게 세상을 주겠다는 것과 마찬가지니까!' 그가 생각을 끝내자마자 늙은 스패니얼이 짖어댔다. 그 영리한 목소리가 돈 후안을 전율하게 했다. 개가 그의 생각을 이해한 것 같았다.

"아들아, 너를 신뢰할 수 있다는 걸 난 잘 알고 있단다. 나는 계속 살 거야. 그럼, 너도 만족하겠지. 나는 계속 살 거지만, 네가 누릴 날들은 단 하루도 빼앗지 않을 거다."

'정신이 나갔군.' 돈 후안은 생각했다. 그러고는 큰 목소리로

2 돈 후안의 '후안'을 부르는 애칭.

덧붙였다.

"네, 사랑하는 아버지. 아버지는 물론 저만큼 오래 사실 거예요. 아버지 모습은 항상 제 마음 속에 살아 있을 테니까요."

"그렇게 사는 걸 말하는 게 아니다." 늙은 영주는 온 힘을 모아 일어나 앉으려 했다. 죽어가는 이의 머리맡에서만 생기는 의심 중 하나에 마음이 동요했기 때문이다.

"잘 들어라, 아들아" 그는 마지막 힘을 다해 더 쇠약해진 목소리로 말했다. "나는 죽고 싶지 않다. 네가 애인 없이 그리고 포도주와 말, 매, 개, 황금 없이 살고 싶지 않은 것처럼 말이다."

'잘 알아요.' 아들은 침대 머리맡에 무릎을 꿇고 바르톨로메오의 송장 같은 손 중 하나에 입을 맞추며 생각했다. 그는 목소리를 높여 말했다.

"하지만 아버지, 사랑하는 아버지, 신의 뜻을 따르셔야만 합니다."

"내가 신이다." 노인은 중얼거리듯 대꾸했다.

"신을 모독하지 마세요." 젊은이는 그의 아버지의 얼굴에서 위협적인 표정을 보며 소리쳤다. "조심하세요. 아버지는 종부성사(終傅聖事)도 받으셨잖아요. 아버지가 죄인으로 돌아가시는 걸 본다면 저는 견딜 수 없을 거예요."

"내 말 좀 들어 보렴!" 죽어가는 이가 이빨을 갈 듯이 내뱉었다. 돈 후안은 입을 다물었다. 끔찍한 침묵이 이어졌다. 무겁게 부딪히는 눈보라 소리 너머로 비올라와 감미로운 목소리의 화음이 여전히 여명처럼 희미하게 들려왔다. 죽음을 앞둔 이가 미소를 지었다.

"여가수들을 초대하고 연주자들을 불러줘서 고맙구나! 연회, 젊고 아름답고 살결 하얀 검은 머리 여인들, 삶의 모든 기쁨들! 그것들을 계속 남겨 두어라. 내가 다시 태어날 거다."

'광기가 극에 달했군.' 돈 후안이 혼잣말했다.

"나는 다시 태어나는 방법을 발견했다. 자! 탁자 서랍을 뒤져봐라. 그리푸스[3] 조각 밑에 숨겨진 용수철을 눌러서 서랍을 열어."

"열었습니다, 아버지."

"좋아, 거기서 작은 천연 수정(水晶) 병을 꺼내어 와라."

"가져왔습니다."

3 그리스 신화에 등장하는 괴물. 몸은 사자이고 머리와 날개는 독수리이며 귀는 말이고 볏은 물고기 지느러미다.

"내가 이십 년을 흘려보냈지..." 그때, 노인은 최후의 순간이 다가옴을 느꼈다. 그는 온 힘을 모아 이렇게 얘기했다. "내가 마지막 숨을 거두자마자, 이 물로 내 온 몸을 닦아라. 그러면 나는 다시 태어날 거야."

"물이 아주 조금밖에 없는데요."

아들이 대답했다.

바르톨로메오는 더 이상 말을 뱉을 수 없었지만 듣고 볼 힘은 남아 있었다. 이 말에, 그는 무서우리만큼 갑작스러운 동작으로 돈 후안을 향해 머리를 돌렸다. 그의 목은 조각가가 억지로 옆을 보게 만든 대리석 조각의 목처럼 뒤틀렸고, 커다랗게 부릅뜬 두 눈은 흉측하게 일그러진 채 굳어버렸다. 그는 죽었다. 그의 유일한 환상이자 마지막 환상을 잃어버린 채 죽었다. 그는 아들의 마음속에서 안식처를 찾았지만, 사람들이 보통 죽은 이를 위해 마련하는 무덤보다 더 깊게 패인 무덤만을 발견했을 뿐이다. 그의 머리카락은 공포로 산발이 되었고, 경련을 일으킨 시선은 여전히 무언가를 말하고 있었다. 그는 신에게 복수하기 위해 분노하며 무덤에서 일어날 법한 아버지였다.

"이것 봐! 노인이 죽었어."

돈 후안이 외쳤다.
그는 술꾼이 식사가 끝날 때 술병을 살펴보는 것처럼 그 수수께끼 같은 수정 병을 램프 불빛에 서둘러 비춰보았고, 그러느라 아버지의 눈이 하얗게 변하는 것을 보지 못했다. 개가 입을 벌린 채 죽은 주인과 묘약을 번갈아 쳐다보았다. 마찬가지로, 돈 후안도 그의 아버지와 유리병을 번갈아 바라보았다. 램프의 빛이 불꽃처럼 넘실거렸다. 깊은 침묵이 흘렀고, 비올라 소리도 멈췄다. 돈 후안 벨비데로는 아버지가 다시 움직이는 것을 본 것 같아 몸을 떨었다. 비난하는 듯한 완고한 눈빛에 겁먹은 그는 가을밤 바람에 흔들리는 덧창을 닫듯 아버지의 눈을 감겼다. 그는 꼼짝 않고 서서 상념의 세계에 빠져들었다.

갑자기 녹슨 용수철 소리 같은 날카로운 소리가 침묵을 깨뜨렸다. 돈 후안은 깜짝 놀라 유리병을 떨어뜨릴 뻔했다. 단검의 칼날보다 더 차가운 땀방울이 그의 모공에서 흘러나왔다. 채색된 나무 수탉이 괘종시계 위에서 튀어나와 세 번 울었던 것이다. 그것은 당시 학자들이 정해진 시간에 일어나 작업하기 위해 사용하던 기발한 기계장치 중 하나였다. 새벽빛이 벌써 십자형 유리창을 붉게 물들였다. 돈 후안은 열 시간 동안이나 숙고에 빠져있었다. 그가 아버지 바르톨로메오를 위해 자신의 의무를 수행하는 것보다, 낡은 괘종시계가 자신의 임무에 더 충실했다. 이 기계장치가 나무와 도르래, 줄, 톱니바퀴로 이루어진 반면, 그는 심장이라 불리는 인간 고유의 기구를 지니고 있었기 때문인지 모른다. 돈 후안은 그 효능에 회의적이었지만 신비한 물약을 잃어버릴 위험을 자초하지 않기 위해, 작은 고딕양식 탁자 서랍에 그것을 다시 넣었다.

이 엄숙한 순간에, 복도에서 어렴풋이 소란스러운 소리가 들려왔다. 그것은 불분명한 목소리, 웃음을 참는 소리, 가벼운 발걸음 소리, 실크 옷자락이 스치는 소리, 그리고 묵상하려 애쓰는 유쾌한 한 무리의 소리 같은 것들이었다. 문이 열리고 왕자와 돈 후안의 친구들, 일곱 명의 매춘부들, 여가수들이 기이하게 뒤엉켜 나타났다. 거기에는, 태양이 꺼져가는 촛불과 싸울 무렵 새벽빛에 놀란 여자 무용수들도 끼어 있었다. 그들 모두는 젊은 상속자에게 관습적인 위로의 말을 건넸다.

"오! 가엾은 돈 후안이 아버지의 죽음을 심각하게 생각하나 보네."

왕자가 브람빌라의 귀에 대고 속삭였다.

“그의 아버지는 아주 훌륭한 분이셨어요.” 그녀가 대답했다.

그런데 돈 후안의 얼굴에 밤새도록 심사숙고한 흔적이 너무 뚜렷하게 새겨져 있어서, 무리는 모두 입을 다물었다. 남자들은 움직이지 않고 서 있었다. 여자들은 포도주 때문에 입술이 마르고 뺨에 키스 자국들이 남아 있었지만 무릎을 꿇고 기도하기 시작했다. 돈 후안은 화려함, 기쁨, 웃음, 노래, 젊음, 아름다움, 권력 같은 삶의 모든 것들이 죽음 앞에 엎드려 절하는 것을 보며 몸을 떨지 않을 수 없었다. 하지만 이 경배할 만한 이탈리아에서는 방탕과 종교가 서로 아주 친밀하게 짝을 이루었다. 즉 종교는 방탕이었고 방탕은 종교였다! 왕자는 다정하게 돈 후안의 손을 잡았다. 그러고는 슬픔과 무관심이 반씩 섞인 표정을 똑같이 짓고 있던 모든 인물들, 그 환영 같은 인물들이 동시에 사라져버렸다. 방은 텅 비었다. 이것이 바로 삶의 모습이었다!

계단을 내려오면서 왕자는 리바바렐라에게 말했다.

“자! 돈 후안이 허세부리는 불효자식이라고 누가 믿을 수 있겠어? 그는 아버지를 사랑해!”

"그 검은 개 보셨어요?" 브람빌라가 물었다.

"그는 이제 엄청난 부자가 됐어요." 비안카 카바톨리노가 한숨을 내쉬며 말했다.

"그게 뭐가 중요해요!" 당과그릇을 깨트렸던 거만한 바로네세가 소리쳤다.

"뭐라고, 뭐가 중요하냐고?" 공작이 소리쳤다. "그 돈이면 그는 이제 나 같은 왕자나 다를 바 없어."

일단 돈 후안은 수많은 생각으로 흔들렸고 여러 해결책 사이에서 갈피를 못 잡았다. 하지만 아버지가 축적한 보물에 대해 조언을 들은 후, 그는 저녁에 고인의 방으로 돌아왔다. 그의 영혼은 끔찍한 이기주의로 가득 차 있었다. 그는 아버지의 거처에서 저택의 모든 사람들이 시신용 침대[4]의 장식을 꾸미는 데 열중하고 있는 것을 보았다. 다음 날 화려하게 불을 밝힌 방 한가운데 그 침대가 놓일 것이고, 그 침대 위에는 '고인이 된 나리'가 전시될 것이다. 그리고 그것은 모든 페라라 사

4 lit de parade: 최고위층 사망 시에 쓰는 시신용 침대. 또는 유명인의 사체를 올려놓는 전시대.

람들이 찬미하러 오는 흥미로운 구경거리가 될 것이다. 돈 후안이 신호를 보내자, 하인들은 모두 동작을 멈추고 두려움에 몸을 떨었다.

"여기에 나 혼자 있게 해주게." 그가 목소리를 바꾸어 말했다. "내가 방에서 나가면 그때 다시 들어오게."

마지막으로 나간 늙은 하인의 발소리가 타일 위에서 희미하게 들려오자, 돈 후안은 서둘러 문을 닫았다. 그리고 혼자라는 걸 확인한 다음 소리쳤다.

"해 봅시다!"

바르톨로메오의 시신은 긴 테이블 위에 놓여 있었다. 시체 방부처리사들은 너무나 노쇠하고 말라 해골과도 비슷한 시신의 흉측한 모습을 아무에게도 보여주지 않으려고 노인의 몸 전체를 머리만 빼고 천으로 둘러싸 놓았었다. 그래서 미라 같은 것이 방 한가운데 누워 있었다. 부드러운 성질의 천은 시신의 형태를 어렴풋이 보여주었는데, 뾰족하고 뻣뻣하고 가냘팠다. 얼굴에는 벌써 넓은 보라색 반점들이 나 있어, 시체 방부처리를 서둘러 끝내야 할 것 같았다.

회의주의로 무장하고 있었음에도, 돈 후안은 그 신기한 수정 병의 마개를 열면서 몸을 떨었다. 시신의 얼굴 가까이 다가갔을 때는 너무 떨려서 잠시 기다려야만 했다. 그러나 그는 이른 나이부터 방종한 궁정 풍속으로 인해 충분히 세속화된 젊은이였다. 우르비노[5] 공작에 견줄 만한 숙고가 그에게 용기를 주었고, 강렬한 호기심의 감정이 그 용기를 더 자극했다. 나아가, 악마가 그에게 불어넣은 어떤 말이 마음속에서 강하게 울려 퍼지는 것 같았다.

'눈 하나만 적셔봐!'

그는 천을 들어 소중한 액체에 아주 조금만 적셨다. 그리고 시체의 오른쪽 눈꺼풀을 살짝 닦아보았다. 눈이 뜨였다.

"아! 아!"

마치 우리가 꿈속에서 나뭇가지를 잡고 낭떠러지 아래에 매달릴 때처럼, 돈 후안은 손으로 병을 꽉 잡았다.

그는 생기로 가득 찬 눈을 보았다. 죽은 이의 얼굴에 심어진 어린아이의 눈이었다. 젊은 정기(精氣) 한가운데서 눈빛이 떨리고 있었다. 검고 아름다운 속눈썹이 보호하고 있는 그 눈빛은

5 르네상스 시대의 유명한 용병 대장.

여행자가 겨울밤 텅 빈 들판에서 발견하는 독특한 섬광들처럼 반짝거렸다. 이 타오르는 눈은 돈 후안에게 달려들고 싶은 것 같았다. 생각하고 비난하고 책망하고 위협하고 판단하고 말하는 것 같았고, 소리 지르고 물어뜯는 것 같았다. 인간의 모든 뜨거운 감정이 그 눈 안에서 동요하고 있었다. 그것은 가장 부드러운 애원이었고, 왕의 분노였으며, 사형수를 위해 은총을 구하는 젊은 여인의 사랑이었다. 또, 사형대의 마지막 계단을 올라가는 남자가 사람들에게 던지는 깊은 시선이었다. 이 생명의 한 조각 안에서 너무나 많은 생명이 번쩍였기 때문에, 돈 후안은 뒤로 물러났다. 그는 감히 그 눈을 쳐다보지 못한 채 방안을 서성거렸지만, 마루와 벽걸이 장식융단에서도 그 눈이 반짝이는 것을 보았다. 열정과 생명과 지혜로 가득 찬 점들이 방 안에 흩뿌려졌다. 사방에서 그 눈들이 번뜩였고 그를 쫓아다니면서 짖어댔다.

"분명 백 살까지 살 거야."

악마적인 힘에 이끌려 아버지 앞에 돌아온 그는 빛나는 광채를 바라보며 자기도 모르게 소리쳤다. 마치 동의하는 여인의 눈꺼풀처럼 갑자기 그 총명한 눈꺼풀이 감기더니, 거칠게 다시 뜨였다. 목소리 하나가 '그래!'하고 외치는 것만 같았다. 돈 후안은 더욱 공포에 질리지 않을 수 없었다.

'어떻게 하지?'

그가 생각했다. 용기를 내어 그 창백한 눈꺼풀을 닫아보려고 했다. 하지만 헛수고였다.

'눈알을 뽑아버릴까? 아마도 부모 살해가 되겠지?'

그는 스스로 자문했다.

'그래, 맞아.' 그 눈이 경악스러운 냉소를 담아 깜박거리며 대답했다.

"아!" 돈 후안이 소리쳤다. "저 안에 마법이 들어 있을 거야."

그는 눈에 다가가 그것을 짓눌렀다. 굵은 눈물 한 방울이 시체의 깊게 패인 뺨 위로 흘러내리더니 돈 후안 벨비데로의 손에 떨어졌다.

"눈물이 뜨거워!"

그는 소리 지르며 주저앉았다. 이 싸움은 그를 피로하게 했다. 마치 야곱이 천사와 싸우는 것 같았다.

마침내 그는 일어나면서 혼잣말했다.

"피가 한 방울도 남지 않도록 해보자!"

그리고 그는 비열한 짓을 위해 필요한 모든 용기를 모아 눈을 짓눌렀다. 쳐다보지 않은 채 리넨 천으로 눈을 짓이겼다. 그때, 예상치 못한 끔찍한 신음소리가 들렸다. 가엾은 스패니얼이 울부짖으며 죽었다.
'저 녀석은 비밀을 알고 있나?'
돈 후안은 그 충실한 짐승을 보며 생각했다.

돈 후안 벨비데로는 효심 깊은 아들로 추앙받았다. 아버지 무덤에 흰 대리석 묘비를 세웠고, 당대 가장 유명한 예술가들에게 조각상의 제작을 맡겼다. 그는 종교 앞에 무릎을 꿇은 아버지의 조상(彫像)이 무덤구덩이에 그 거대한 무게를 내려놓는 날에서야 비로소 완벽한 마음의 안정을 찾았다. 육체가 피로할 때마다 그의 마음을 아프게 했던 양심의 가책마저 무덤 깊은 곳에 묻었다.
옛 동방 무역상인이 모아놓은 거대한 재산의 목록을 정리하면서, 돈 후안은 구두쇠가 되었다. 두 번의 삶을 살기 위해서는 돈을 마련해놓아야 하지 않겠는가? 그의 시선은 모든 것을 깊이 탐색했고 사회적 삶의 원리를 꿰뚫었다. 무덤을 통해 세상을 본 만큼, 세상을 더 잘 파악했다. 그는 인간들과 사물들을 분석했고 역사를 통해 재현되는 과거, 법에 의해 형성되는 현재, 종교를 통해 밝혀지는 미래를 단번에 이해하고 결론지었다. 그는 영혼과 물질을 집어 도가니에 던졌고 아무것도 남지 않을 때까지 뒤섞었다. 그리고 그때부터 그는 그 유명한 '돈 후안'이 되었다!

삶의 환상들에 대해 통달한 그는 젊고 잘생긴 모습으로 삶에 뛰어들었다. 그는 세상을 경멸했지만, 세상을 독점하다시피 했다. 그의 행복은 정기적으로 먹는 삶은 고기, 겨울의 따뜻한 난상기(暖床器)[6], 밤의 램프, 삼 개월마다 갈아 신는 새 슬리퍼로 만족하는 부르주아의 행복일 수는 없었다. 아니, 그는 나무 열매를 손에 쥔 원숭이처럼 생을 꽉 움켜잡았고, 오래 가지고 놀지 않더라도 맛있는 과육의 음미를 위해 보잘 것 없는 열매 껍질을 교묘히 벗겨냈다.

시(詩)를 비롯한 인간 열정의 숭고한 발현들은 전혀 그의 관심을 끌지 못했다. 그는 힘 있는 남자들이 저지르는 실수를 결

---

6 숯불로 침대를 따뜻하게 하는 데 사용되던 기구. 다리미처럼 긴 손잡이가 있고 뚜껑에는 구멍이 여러 개 나 있다.

코 따라하지 않았다. 작은 영혼들은 위대한 영혼을 따르기 마련이라 생각하면서, 이따금씩 미래에 대한 위대한 생각들을 값싼 동전 같은 우리의 소소한 생각들과 교환하려 하는 실수 말이다. 그들처럼 그도 발은 땅을 딛고 머리는 하늘에 둔 채 걸을 수 있었지만, 그는 앉아서 부드럽고 신선하고 향기로운 여인의 입술과 입 맞추며 쇠약해지는 것을 더 좋아했다. 마치 죽음처럼 그는 자신이 거쳐 가는 곳의 모든 것을 부끄러움 없이 집어삼켰고, 소유하는 사랑을 원했으며, 길고 편안한 쾌락을 즐길 수 있는 동양적인 사랑을 원했다. 그는 여자 중의 '여자'만을 사랑했기 때문에, 냉소가 그의 영혼의 자연스러운 태도가 되었다. 그의 애인들이 무아지경의 희열에 정신을 잃고 침대에서 하늘로 올라가려 하면, 그는 독일 학생처럼 심각하고 개방적이며 진지한 태도로 그녀들을 따라갔다. 흥분하고 정신을 잃은 애인이 '우리'라고 얘기할 때마다 그는 '나'라고 말했다.

그는 매우 탁월한 방법으로 여자가 그를 이끌어가도록 했다. 또, 여자로 하여금 그의 심장이 무도회장의 첫 번째 여인에게 "춤추시겠어요?"라고 묻는 어린 고등학생처럼 떨린다는 말을 믿게 하는 데도 늘 뛰어났다. 하지만 그는 적절하게 포효할 줄도 알았고, 강한 검을 꺼내 연적인 기사들을 무찌를 줄도 알았다. 그의 단순함 속에는 조소가 숨어 있었고, 눈물 속에는 웃음이 섞여 있었다. 남편에게 "여행 장비 일체를 사주세요. 안 그러면 폐병으로 죽을 것 같아요."라고 말하는 여인처럼, 그 또한 언제든 울 수 있었다.

도매상인에게 세상은 봇짐이거나 유통 중인 지폐 뭉치다. 대부분의 젊은 남자들에게 세상은 여자다. 일부 여자들에게 세상은 남자다. 그리고 어떤 영혼들에게 세상은 거실이고, 집단이며, 동네이고, 도시다. 하지만 돈 후안에게 세상은 그 자신이었다!

우아함과 고귀함의 표본이며 매혹적인 정신의 소유자인 그는 자신의 배를 모든 해안에 정박시켰고, 누군가 자신을 이끌도록 내버려 두면서도 자신이 원하는 데까지만 갔다. 살면 살수록 그는 의심이 더 많아졌다. 사람들을 관찰하면서 그는 자주 용기가 무모함이 되는 것을 알아챘다. 신중함이 비겁함이 되고, 관대함이 교활함이 되며, 정의가 범죄가 되고, 섬세함이 어리석음이 되고, 성실함이 조직이 되는 것을 알게 되었다. 그리고 기이한 숙명으로 인해, 그는 진실로 올바르고 섬세하고 정의롭고 관대하고 신중하고 용기 있는 사람은 사람들 사이에서 어떤 존경도 받지 못한다는 걸 깨달았다.

그는 생각했다. '이 얼마나 냉정한 농담인가! 이것이 신의 뜻은 아니겠지.'

그때부터 그는 더 나은 세상을 부인하면서, 신의 이름을 말하는 걸 들어도 결코 모자를 벗지 않았고 성당에 있는 성인들 석상들을 그저 예술작품으로만 간주했다. 또한 인간 사회의 작동원리를 깨달았기에, 사형집행인만큼 강한 힘이 없는 이상 편견들과 결코 지나치게 부딪히지도 않았다. 그는 아주 잘 훈련된 우아함과 재치로 디망쉬[7] 씨와 함께 등장하는 무대에서 모든 사회적 법들을 피해갔다.

실제로 그는 몰리에르의 동 쥐앙[8]의 모델이었고, 괴테의 파우

---

7 monsieur Dimanche: 몰리에르의 희곡 『동 쥐앙』에 등장하는 인물. 동 쥐앙에게 빚을 받으러 온 상인이다.

8 몰리에르의 『동 쥐앙』: 프랑스의 극작가 몰리에르가 지은 돈 후안을 소재로 한 산문 희곡. 1665년에 초연하였으며 전 5막으로 이루어졌다.

스트[9], 바이런의 맨프레드[10], 매튜린[11]의 멜모스의 모델이었다. 유럽의 가장 뛰어난 천재들에 의해 묘사된 위대한 형상들 말이다. 거기에는 아마도 모차르트의 화음과 로시니의 서정시도 포함될 것이다!

그런데 그 형상들은 악의 원리가 인간 안에 존재하며 영속됨을, 그리고 그것의 복제물들이 수세기에 걸쳐 되풀이됨을 나타내는 끔찍한 형상들이기도 했다. 이 형상들의 모델은 미라보[12]의 모습으로 나타나 인간들과 협상을 벌이기도 하고, 보나파르트처럼 말없이 행동하는 데 만족하기도 한다. 혹은, 신성

---

9 괴테의 『파우스트』: 독일의 작가 괴테의 희곡. 학문과 지식에 절망한 늙은 파우스트가 악마 메피스토펠레스의 꾐에 빠져 현세적 욕망과 쾌락에 사로잡히지만 마지막에 잘못을 깨닫고 구원을 받는다는 내용

10 바이런의 『맨프레드』: 영국의 시인 바이런의 극시. 파우스트적인 시극이며, 주인공 맨프레드는 신의 권위에 정면으로 도전하는 인물로 그려진다.

11 찰스 로버트 매튜린(Charles Robert Maturin, 1782-1824): 영국 소설가이자 극작가. 학교를 경영하다가 문학에 뛰어들었고, 비극 『버트람』(1816년 초연)이 바이런의 추천을 얻어 호평을 받았다. 그의 소설은 19세기 초반에 유행한 공포파에 속하며, 악마에게 영혼을 팔아 헛되이 수명만 늘어난 인간을 다룬 『방랑자 멜모스』(1820)가 특히 유명하다.

12 미라보(Honoré Gabriel Victor Rigueti Conte de Mirabeau, 1749-1791) : 프랑스의 웅변가, 정치가, 경제학자. 1789년 프랑스 혁명이 일어나자 제3신분인 평민의 대표로 국민 의회에 나가 그 성립에 전력했다. 박학과 능란한 웅변으로 삼부회의 지도적 인물로 활약했으며, 영국식 입헌정치를 목표로 자유주의 귀족과 부르주아지를 대표했다. 1791년 국민의회 의장이 된 후 민권의 신장과 왕권의 존립을 조화시키려고 노력했으나, 궁정에 매수되었음이 밝혀져 반역자로 낙인찍혔다.

라블레처럼 아이러니 안에 세상을 가두기도 하고, 리슐리외 추기경처럼 세상만사를 모욕하는 대신 인간 존재를 비웃기도 하며, 더 나아가 우리의 가장 유명한 대사(大使)처럼 인간과 세상만사를 동시에 조롱하기도 한다. 돈 후안 벨비데로가 지닌 극도의 천재성은 이 모든 천재성을 미리 앞질러 요약했다. 그는 모든 것을 자유자재로 해냈다. 그의 삶은 인간, 사물, 제도, 사상들에 대한 비웃음 그 자체였다.

그는 교황 율리우스 2세와 영원성에 대해 반시간 정도 친근하게 얘기를 나눈 적이 있었다. 대화 말미에, 그는 웃으며 이렇게 말했다.

“절대적으로 하나를 선택해야 한다면, 저는 악마보다 신을 더 믿고 싶습니다. 선함에 결합된 권력은 악마의 천재성이 갖고 있는 것보다 언제나 더 많은 재원을 제공해 주니까요.”

“그래, 하지만 신은 우리가 이 세상에서 회개를 행하기를 바라시네...”

“교황님은 그러니까 항상 당신의 면죄에 대해 생각하시나요?” 돈 후안 벨비데로가 대꾸했다. “저런! 저는 제가 첫 번째 생애에서 지은 죄를 회개하기 위해 따로 여분의 생애를 마련해두었습니다."

"자네가 노년을 그렇게 이해한다면 성인 반열에 오를 수도 있겠군." 교황이 소리 높여 말했다.

"교황님이 성좌에 오르신다면, 모든 것을 믿을 수 있겠지요."

그리고 그들은 베드로 성인에게 봉헌된 거대한 대성당을 짓고 있는 이들을 보러 갔다.

"베드로 성인은 우리에게 두 배의 힘을 내려주신 탁월한 분이시네." 교황이 돈 후안에게 말했다. "그는 이 기념물을 받으실 만하지. 하지만 가끔씩 밤에, 나는 대홍수가 이것을 휩쓸고 지나가 모든 걸 다시 시작해야 할지도 모른다는 생각을 하네..."

돈 후안과 교황은 웃기 시작했다. 그들은 서로를 이해했다.

돈 후안이 바보였다면, 다음날 율리우스 2세와 함께 라파엘로의 아틀리에나 빌라 마다마[13]에 즐기러 갔을 것이다. 하지만 돈 후안 벨비데로는 율리우스 2세가 교황의 자격으로 성무일과를 집전하는 것을 보러 갔다. 그가 의심하고 있는 것에 대해 확인하기 위해서였다. 어느 방탕한 자리에서 로베레 부

13 라파엘로(Raffaello Sanzio da Urbino)가 클레멘트 7세 추기경을 위해 건축한 저택.

인이 자신의 행위를 부정하며 『묵시록』을 언급했을 수도 있기 때문이다.

아무튼, 이 전설 같은 이야기는 돈 후안의 생에 대해 회고록을 쓰려는 이들에게 소재를 제공하기 위해 만들어진 것은 아니다. 이것은 단지 돈 후안 벨비데로가 몇몇 석판공들이 주장하는 것처럼 석상과의 결투에서 죽은 것이 아니라는 사실을 정직한 사람들에게 증명하기 위한 것이다.
돈 후안 벨비데로는 예순 살이 되자 스페인에 정착해 살았다. 거기서 그는 젊고 매혹적인 안달루시아 여인과 결혼했다. 하지만 냉정히 말해 그는 좋은 아버지도 좋은 남편도 아니었다. 그는 거의 기대하지 않는 여자들에게서만 아주 다정하게 사랑받을 수 있다는 관점을 고수했기 때문이다. 도나 엘비라[14]는 산루카르에서 수십 킬로미터 떨어진 안달루시아 지방의 어느 외딴 저택에서 늙은 숙모가 경건하게 키운 여인으로, 지극히 헌신

14 돈 후안을 모티브로 작곡된 모차르트의 오페라 '돈 지오반니'에서 도나 엘비라는 그에게 버림받고도 여전히 미련이 남아 있는 여인으로 등장한다. 이 소설에서는 돈 후안 말년의 부인으로 재설정되었다.

적이고 매우 우아했다. 돈 후안은 이 젊은 여인이 열정에 굴복하기 전까지 그것과 오랫동안 싸울 여자라는 것을 깨달았다. 그래서 그가 죽을 때까지 그녀가 자신의 정조를 지킬 수 있기를 희망했다. 이것은 진지한 농담이었고, 그가 노년에 즐기기 위해 남겨둔 체스 게임이었다.

아버지 바르톨로메오가 저지른 실수로 더 현명해진 돈 후안은 그가 노년에 행하는 모든 행동들을 그의 임종 침상에서 완성될 한 드라마의 성공을 위해 이용하기로 결심했다. 그래서 재산의 절반 이상을 이따금씩 들리는 페라라의 대저택 지하 창고에 묻어 두었다. 그리고 재산의 나머지 절반가량은 그의 생애 동안 부인과 아이들의 관심을 끌도록 종신연금에 묶어두었다. 어떻게 보면 그의 아버지가 사용했을 법한 술책이었다. 하지만 그에게는 이런 마키아벨리적[15]인 계산이 별로 필요하지 않았다. 아들인 어린 펠리페 벨비데로가 신앙 없는 그와 달리 양심적이고 신앙심 깊은 스페인 청년이었기 때문이다. 어쩌면 '구두쇠 아버지에 낭비하는 아들'이라는 속담 때문에 그렇게

15 마키아벨리즘: 목적을 위해 수단을 가리지 않는 권모술수.

되었는지도 몰랐다.

돈 후안은 벨비데로 공작부인과 펠리페의 신앙을 이끌어 주기 위해 산루카르의 수도원장을 선택했다. 이 성직자는 검고 아름다운 눈에 키가 크고 균형이 아주 잘 잡힌 몸매를 지닌 경건한 남자였다. 또한 금식으로 지치고 고행(苦行)으로 피부가 창백해진 티베리우스[16] 같은 얼굴을 하고 있었다. 그는 모든 독신자가 그렇듯 매일 유혹을 받았다. 늙은 영주는 어쩌면 그의 첫 번째 생의 기간이 끝나기 전에 수도사 한 명을 더 몰락시킬 수 있기를 바랐는지도 모른다. 하지만 수도원장이 돈 후안 그 자신만큼이나 강했기 때문에, 또 도나 엘비라가 스페인 여자들이 부여받은 것보다 더 많은 신중함과 정숙함을 지닌 덕분에, 돈 후안은 그의 마지막 날들을 아무 추문 없이 늙은 시골 사제처럼 집에서 보낼 수밖에 없었다. 가끔씩 그는 아들과 부인이 종교적 의무를 수행하다 실수하는 것을 발견하며 기뻐했고, 교황청이 신자들에게 부여한 모든 의무를 수행하라고 명령조로 요구하기도 했다. 그는, 과도하게 친절한 산루카르 수도

16 티베리우스(Tiberius Caesar Augustus, BC 42-AD 37): 로마제국 제2대 황제.

원장과 도나 엘비라와 펠리페가 어떤 신앙 사례에 대해 토론하는 것을 들으면 결코 기분 좋지 않았다.
그러는 동안, 돈 후안 벨비데로가 자신의 신체에 행했던 비범한 정성에도 불구하고 노쇠의 날들이 다가왔다. 고통의 나이와 함께 무기력의 외침도 찾아왔다. 격정적인 젊은 시절과 향락적인 장년 시절의 추억이 풍부한 만큼 더욱더 비통한 외침이었다. 자신은 법과 원칙을 비웃으면서 타인에게 믿으라고 설득할 만큼 조소의 마지막 단계까지 갔던 이 남자가 밤마다 '어쩌면!'하는 불안과 함께 잠들었다.
올바른 태도의 표본 같은 이 공작, 연회에서는 원기왕성하고 궁정에서는 거만하며 농부가 버드나무 가지를 당겨서 휘듯 상냥하게 여자의 마음을 사로잡았던 이 뛰어난 재능의 남자는 고질적인 신물과 귀찮은 좌골신경통, 난폭한 통풍에 시달렸다. 무도회가 끝나면 가장 눈부시고 가장 잘 치장한 여인들이 하나씩 빠져나가 가구를 치운 텅 빈 살롱만 남는 것처럼, 그는 치아들이 하나씩 빠지기 시작하는 것을 경험했다. 그러다가 마침내 그의 대담한 손이 떨렸고 날렵한 다리가 비틀거렸다. 그리고 어느 날 저녁 뇌졸중이 갈고리같이 차가운 손으로 그의 목을 졸랐다. 이 운명의 날 이후로 그는 침울하고 거칠어졌다. 그는 아들과 아내의 헌신을 비난했고, 이따금씩 그들의 감동적이고 섬세한 보살핌이 그토록 다정하고 아낌없는 것은 오로지 그가 모든 재산을 종신연금에 넣어두었기 때문이라고 주장하기도 했다. 그러면 엘비라와 펠리페는 쓰라린 눈물을 쏟았고 심술궂은 노인을 더 큰 애정으로 돌보았다. 노인의 쉰 목소리는 다시 다정해져서 이렇게 말했다.

"나의 다정한 이들, 나의 사랑하는 부인, 나를 용서해주겠지? 내가 그대들을 약간 고통스럽게 했군. 아! 하느님! 어떻게 이 천사 같은 피조물들을 시험하려 저를 이용하실 수 있습니까? 두 사람의 기쁨이어야 할 제가 두 사람에게 재앙이 되고 있습니다."

이런 식으로 그는 그들을 침대 머리맡에 묶어 두었고, 단 한 시간으로 잔인하고 안절부절못했던 수개월을 모두 잊게 만들었다. 그 한 시간 동안, 우아한 매너와 거짓된 다정함이라는 보물을 매번 새롭게 그들 앞에 펼쳐 보였던 것이다. 그것은 예전에 그의 아버지가 그에게 사용했던 것보다 훨씬 더 성공적으로 작동되는 부성의 방식이었다.

마침내, 그의 병세는 매우 심각한 단계에 다다랐다. 그를 침대에 눕히기 위해서는 위험한 운하로 들어가는 작은 펠러카선(船)처럼 조심스럽게 다루어야만 했다. 그리고 죽음의 날이 찾아왔다. 가장 끔찍한 파멸의 와중에도 지적 능력만 살아남은 이 뛰어나고 회의적인 남자는 그가 혐오하는 두 존재, 의사와 고해신부 사이에 자신이 누워 있는 것을 보았다. 그러나 그는 그들을 유쾌하게 대했다. 미래의 장막 너머에서 어떤 반짝이는 빛을 보았던 걸까? 다른 사람에게는 납덩이처럼 무겁지만 그에게는 투명할 만큼 가벼운 그 장막 위에서, 젊음의 가볍고 매혹적인 희열이 그림자처럼 춤을 추고 있었다.

어느 아름다운 여름 저녁, 돈 후안은 죽음이 가까이 왔음을 느꼈다. 스페인의 하늘은 놀라울 만큼 청명했고, 오렌지나무 향기가 대기를 적시고 있었다. 별들은 생생하고 싱그러운 빛을 방울처럼 퍼뜨렸고, 자연은 그에게 부활의 확실한 표시들을 보여 주는 것 같았다. 효심 깊고 순종적인 아들은 사랑과 존경으로 오랫동안 그를 바라보았다. 열한 시경이 되자, 그는 이 천진한 존재와 단둘이 있고 싶었다.

"펠리페"

그가 아들에게 말했다. 그 목소리가 너무 부드럽고 너무 다정해서 젊은이는 몸을 떨며 기쁨으로 울었다. 이 완고한 아버지는 한 번도 그를 그렇게 '펠리페!'라고 다정히 부른 적이 없었다.

"잘 들어라, 아들아." 죽어가는 이가 말을 이었다. "나는 대(大)죄인이다. 난 평생 동안 나의 죽음에 대해 생각했어. 예전에 나는 위대하신 교황 율리우스 2세의 친구였다. 그 저명한 성직자께서는 내가 지나치게 민감한 감각 때문에 숨을 거두는 순간과 몸에 성유를 바르는 순간 사이에 어떤 치명적인 죄를 저지르지 않을까 걱정하셨지. 그래서 예전에 황야의 바위틈에서 솟아나온 성수가 든 유리병을 내게 선물로 주셨단다. 그 분이 성당의 보물을 횡령한 일에 대해 나는 비밀을 지켰지만, '죽음의 순간에'[17] 나는 이 비밀을 내 아들에게 밝힐 수 있도록 허락받았다. 항상 내 침대 머리맡에 있는 고딕양식 탁자의 서랍에서 그 유리병을 찾을 수 있을 거야... 값비싼 수정 병은 네가

17 In articulo mortis: 가톨릭 용어. 라틴어로 '임종 시(臨終時)'를 뜻한다.

나중에 사용할 수 있을 거다, 사랑하는 펠리페. 내 명령을 정확히 실행하겠다고 영원한 구원의 이름으로 맹세해 주겠니?"

펠리페는 아버지를 쳐다보았다. 돈 후안은 이런 시선을 믿으며 평화롭게 죽지 않을 만큼, 인간의 감정 표현에 대해 너무 잘 알고 있었다. 그의 아버지가 자신의 시선을 믿다가 절망 속에서 죽었기 때문이다.

"넌 다른 아버지 밑에서 자랐어야 했다." 돈 후안이 다시 말했다. "네게 감히 고백하건데, 아들아, 존경하는 산루카르 신부님이 내게 임종 성체를 내리시는 동안 나는 양립할 수 없는 두 개의 힘이 똑같이 펼쳐지는 것을 느꼈다. 악마의 힘과 신의 힘 말이다..."

"오! 아버지!"

"그리고 나는 생각했다. 사탄이 화해하려 할 때 커다란 불행에 빠지지 않으려면 그의 추종자들에 대한 용서를 분명히 해야 한다고 말이다. 이런 생각이 나를 쫓아다녔다. 그러니 아들아, 네가 내 뜻을 완수하지 않는다면 나는 지옥에 가게 될 거야."

"오! 어서 말씀해주세요, 아버지!"

"내가 눈을 감자마자," 돈 후안이 다시 말했다. "대략 몇 분 정도 후에, 아직은 아주 따뜻할 내 몸을 들어서 이 방 한가운데 있는 테이블 위에 눕혀라. 그리고 램프를 꺼라, 별빛으로 충분할 테니까. 내 옷을 벗긴 후, 신께 네 영혼을 거양(擧揚)하며 주기도문과 아베마리아를 암송하면서 이 성스러운 물로 내 눈과 입술을 조심스럽게 적셔라. 그다음, 내 얼굴 전체를 적시고 차례로 팔다리와 몸을 적셔라. 그런데 사랑하는 아들아, 신의 힘은 너무나 위대하시니 어떤 일이 벌어져도 놀라서는 안 된다!" 이때, 돈 후안은 죽음이 찾아온 걸 느꼈고, 떨리는 목소리로 덧붙였다. "유리병을 꼭 잡아야 한다." 그리고 그는 아들의 품에서 조용히 숨을 거뒀다. 아들은 냉소적이고 창백한 아버지의 얼굴에 주체할 수 없는 눈물을 쏟았다.

돈 펠리페 벨비데로가 아버지의 시체를 테이블 위에 올려놓은 것은 자정 무렵이었다. 그는 아버지의 험악한 이마와 회색 머리에 입을 맞춘 후 램프를 껐다. 밝은 달빛이 만들어내는 부드러운 빛이 기이한 반사광으로 들판을 비추었고 효심 많은 아들 펠리페가 아버지의 시체를 어렴풋이 알아보게 해주었다. 시체는 마치 어둠 한가운데 놓인 흰색의 물체 같았다. 젊은이는 액체에 천을 적신 후, 기도에 빠져든 채로 깊은 침묵 속에서 그 성스러운 얼굴을 충실하게 닦았다. 그는 뭐라 표현하기 힘든 떨림의 소리를 들었지만 나뭇가지에 바람이 부딪혀 나는 소리라 여겼다.

아버지의 오른팔을 적셨을 때, 그는 젊고 억센 팔 하나가 그의 목을 힘껏 조르는 것을 느꼈다. 바로 아버지의 팔이었다! 그는 날카로운 소리를 내질렀고 유리병을 떨어뜨려 깨트리고 말았다. 액체는 다 증발해버렸다. 저택의 사람들이 횃불을 들고 달려왔다. 마치 최후의 심판의 나팔 소리가 우주를 뒤흔든 것처럼, 그의 비명 소리가 그들을 겁에 질리게 하고 놀라게 했던 것이다.

한 순간에 방은 사람들로 가득 찼다. 군중들은 두려움에 떨며 돈 펠리페가 기절한 것을 보았고, 그의 아버지의 억센 팔이 그를 붙잡은 채 목을 조르고 있는 것을 보았다. 그리고 초자연적인 어떤 것이 있었는데, 사람들은 안티노우스[18]의 얼굴만큼이나 젊고 잘생긴 돈 후안의 얼굴을 보았다. 검은 머리에 반짝이

18 로마 황제 아드리아누스의 총애를 받았던 미소년.

는 눈과 진홍빛 입술이 있는 그 얼굴은 미친 듯이 움직였지만, 그 아래 붙어 있는 뼈가 앙상한 육신까지 움직이게 할 수는 없었다. 늙은 하인 하나가 소리쳤다.

"기적이야!"

이어서 모든 스페인 사람들이 따라 외쳤다. "기적이야!"

마법의 신비를 받아들이기에는 너무나 신앙이 깊은 도나 엘비라는 사람을 보내 산루카르 수도원장을 모셔오게 했다. 자신의 눈으로 직접 기적을 확인한 수도원장은 머리 좋은 사람답게, 그리고 오로지 교부금의 증대만을 원하는 신부답게, 그것을 이용하기로 결심했다. 그는 돈 후안 영주가 반드시 성인품에 오를 거라고 선언하면서 그 신성한 예식을 자신의 수도원에서 거행하도록 지시했다. 그리고 그의 수도원은 이제부터 '산-후안-데-루카르'[19] 수도원이라 불릴 것이라고 덧붙였다. 이 말에, 돈 후안의 얼굴은 아주 익살스럽게 구겨졌다.

이런 종류의 성대한 예식에 대한 스페인 사람들의 취향은 너

---

19 San-Juan-de-Lucar: '루카르의 성(聖) 후안'을 뜻함.

무나 잘 알려져 있다. 따라서 산루카르 수도원이 '복자[20] 돈 후안 벨비데로'를 성당 내부로 옮기며 거행한 종교적 몽환극을 상상하는 건 그리 어려운 일이 아닐 것이다. 이 유명한 영주가 죽은 후 며칠 사이에, 미완성으로 끝난 그의 기적 같은 부활 이야기는 마을에서 마을로 맹렬하게 퍼져 갔다. 그 범위는 산루카르 주변 오십 리 이상의 모든 지역에 달해, 호기심 많은 이들이 길을 따라 몰려오는 것을 보는 것만으로도 이미 한 편의 희극 같았다. 그들은 횃불을 들고 부르는 '테 데움'[21]에 이끌려 사방에서 몰려들었다.

옛 회교 사원인 산루카르 수도원은 무어인들이 지은 멋진 건축물로, 3세기 전부터 그 둥근 천장 아래서 알라의 이름을 대신해 예수 그리스도의 이름이 울려 퍼져왔다. 그런데 이 수도원은 예식을 보러 몰려드는 군중을 다 수용할 수 없었다. 벨벳 망토를 두르고 칼을 찬 스페인 귀족들이 개미 떼처럼 모여 들었지만, 오로지 성당 안에서만 무릎을 꿇었기에 무릎 꿇고 기도드릴 자리를 찾지 못해 기둥 주변에 서 있었다. 수놓은 바스

20 신앙을 죽을 때 까지 지켰거나, 덕행으로 신자들의 공경이 된 사람을 일컫는 가톨릭 용어.
21 Te Deum: 라틴어로 된 감사와 찬송의 노래 '테 데움'을 가리킨다.

킨[22]으로 사랑스러운 몸매를 드러내는 매력적인 농촌 여인들은 백발의 노인들을 팔로 부축하고 왔고, 불처럼 뜨거운 눈빛의 젊은이들은 한껏 치장한 늙은 부인들 옆에 서 있었다. 그리고 기쁨으로 몸을 떠는 부부들, 애인의 손에 이끌려온 호기심 많은 약혼녀들, 신혼부부들, 서로 손잡고 서 있는 겁먹은 아이들이 있었다. 서로 대조를 이루며 다채로운 색깔들로 빛나는 군중들, 꽃을 들고 여기저기서 반짝이는 군중들은 밤의 침묵 속에 부드러운 소요를 만들어냈다.

성당의 커다란 문이 열렸다. 너무 늦게 도착한 이들은 밖에 머무르면서 세 개의 열린 문을 통해 멀리서 벌어지는 광경을 바라보았다. 그것은 오늘날 오페라의 신비로운 무대장식을 통해서도 쉽게 상상하기 어려운 광경이었다. 즉, 새로운 성인에게 은총을 얻으러 몰려든 신앙 깊은 이들과 죄 많은 이들이 경의의 표시로 거대한 성당 안에 수천 개의 촛불을 밝혔고 그 빛이 건물에 마법 같은 모습을 더해주고 있었다. 검은 아치들, 기둥과 기둥머리들, 금은 장식으로 빛나는 깊은 공간의 제실들,

22 basquine: 스페인 및 바스크 지방의 수놓은 스커트.

회랑들, 사라센 양식의 굴곡들, 우아한 조각의 섬세한 윤곽선들이 넘쳐흐르는 그 빛 속에서 각각 모습을 드러냈다. 그리고 마치 붉은 화로 속의 형상들처럼 변화무쌍하게 흔들렸다. 또, 성당 깊숙한 곳에서는 황금빛 성가대가 이 촛불의 바다를 내려다보고 있었고, 그 가운데에 주제단(主祭壇)이 떠오르는 태양과도 같은 영예로운 자태로 우뚝 솟아 있었다.

하지만 호화로운 금빛 램프들과 커다란 은빛 촛대들, 깃발들, 장식 술들, 성인들과 봉헌물들의 화려함은 돈 후안이 누워 있는 성궤(聖櫃) 앞에서 그 빛을 잃고 초라해보였다. 이 무신론자의 몸이 보석, 꽃, 수정, 다이아몬드, 황금 그리고 세라핀[23]의 날개처럼 하얀 깃털들로 장식되어 반짝였기 때문이다. 그의 시신은 그리스도의 그림이 있던 제단 위에 놓여 있었다. 수많은 초가 그를 둘러싸며 빛을 발했고, 그 주위로 타오르는 듯한 촛불의 물결이 공기처럼 흐르고 있었다.

주교 예복을 갖춰 입은 산루카르의 훌륭한 수도원장이 사치스러운 최고급 의자에 성가대의 왕처럼 앉아 있었다. 값비싼 보석

23 séraphin: 9계급 중 최고의 천사인 '육익(六翼)천사'를 가리킨다.

이 박힌 주교관을 쓰고 소백의(小白衣)를 걸치고 주교 지팡이를 쥔 모습이었다. 그 주위로 은발의 무표정한 노인들인 성직자들이 고급스러운 흰 제복을 입고 앉아 있었는데, 마치 화가들이 신 주변에 그려 넣은 순교자 성인들처럼 수도원장을 둘러싸고 있었다. 성가대 선창자를 비롯해 종교적 허영심의 표상인 호화로운 배지들로 장식한 참사회 고위성직자들이 하늘의 궤도를 따라 도는 별들처럼 향[香]들이 만들어내는 연기 속을 오갔다. 승리의 시간이 찾아오자, 성당의 종소리가 들판 너머로 울려 퍼졌다. 성당에 모인 거대한 사람들 무리는 '테 데움'을 시작하는 첫 번째 찬양의 함성을 신에게 바쳤다. 숭고한 함성! 그것은 순수하고 섬세한 소리로, 남자들의 강한 저음과 황홀경에 이른 여자들의 목소리가 뒤섞인 소리였다. 수천 명의 목소리는 너무도 강해서 파이프 오르간의 장중한 울림소리도 그 합창을 이기지 못했다. 오로지 성가대 아이들의 어린 목소리가 내는 날카로운 음과 성가대 저음부의 폭넓은 표현음만이, 사랑의 감정으로 뒤섞인 매력적인 목소리들의 합창 속에서 우아한 생각들을 불러일으켰고 유년기와 힘을 생생하게 표현해냈다.

"하느님 당신을 찬미하나이다!"[24]

여자들과 남자들이 무릎을 꿇고 있는 어두운 성당 한복판에서, 이 선율은 밤중에 갑자기 번쩍이는 한줄기 빛처럼 뻗어나갔고 천둥소리처럼 침묵을 깨트렸다. 사람들의 목소리는 환상적이고 경이로운 건물에 투명하고 푸르스름한 베일을 씌우는 향의 연기와 함께 높이 올라갔고 널리 울려 퍼졌다. 모든 것이 풍요로웠고 향기로웠으며, 빛이고 멜로디였다.
이 사랑과 감사의 음악이 제단을 향해 솟아오르는 순간, 고마움을 표하지 않기에는 너무 예의바르고 조소를 참고 있기에는 너무 재치 있는 돈 후안은 성궤에 누워 소름끼치는 웃음으로 답했다. 그러다가 악마에 사주에 의해 자신이 평범한 남자로, 성인으로, 보니파시오로[25], 판탈레온[26]으로 여겨질 수도 있다는 사실을 떠올리게 되었고, 울부짖으며 이 사랑의 노래를 멈추게 했다. 수많은 지옥의 목소리도 그 울부짖음에 합세했다.

---

24 "Te Deum laudamus"
25 보니파시오(Saint Boniface, 672-754): 영국의 종교가. 선교 활동 중 순교함.
26 판탈레온(Saint Pantaleon, 275-305): 가톨릭 성인. 의사이자 순교자.

요컨대, 지상은 축복을 보냈고, 하늘은 저주를 내렸다. 그의 울부짖는 소리에 성당의 오래된 토대까지 흔들렸다.

"하느님 당신을 찬미하나이다!"
사람들이 외쳤다.
"악마에게나 가라, 짐승 같은 놈들아! 하느님, 하느님! '빌어먹을 놈들'. 이 짐승들아, 너희 늙은 하느님만큼이나 너희들도 멍청한 것들이야!"
끝없는 저주의 말들이 베수비오 화산에서 분출되는 용암 줄기처럼 돈 후안 벨비데로의 입에서 쏟아져 나왔다.
"만군의 주 천주여, 만군의 주 천주여!"[27]
기독교인들이 소리쳤다.
"너희가 지옥의 왕을 모욕하는구나!" 돈 후안이 이를 갈며 대꾸했다. 곧이어 살아 있는 팔이 성궤 밖으로 나와서 절망과 냉소가 담긴 동작으로 사람들을 위협했다.
"성인이 우리에게 축복을 내리네요."

---

27 "Deus sabaoth, Deus sabaoth!"

무리에서 가장 순진한 이들인 늙은 부인들과 아이들, 연인들이 말했다.
보라, 우리가 경배를 드리며 얼마나 자주 착각하는지. 우월한 인간은 그를 치하하는 사람들을 비웃고, 가끔씩 자기가 가슴 깊이 비웃는 사람들에게 칭찬을 보낸다.

재단 앞에 엎드린 수도원장이 "성(聖)요한이여, 저희를 위하여 빌어주소서!"[28]하고 노래하는 순간, "이 바보 같은 놈"이라고 말하는 소리가 꽤 분명하게 들려왔다.
"저 위에서 무슨 일이 벌어지고 있는 거지?"
수도원의 부원장이 성궤가 움직이는 것을 보고 소리쳤다.
"성인이 악마로 변했네."
수도원장이 대답했다.
그러자 살아 있는 그 머리가 죽어 있는 몸으로부터 세차게 떨어져 나와 제식을 집행하는 성직자의 노란 머리 위로 떨어졌다.

---

28 "Sancte Johannes, ora pro nobis!"

"도나 엘비라를 기억하라!"

그 머리가 신부의 머리를 물어뜯으며 외쳤다.

수도원장은 끔찍한 비명을 내질렀고 제식은 중단되었다. 모든 사제들이 달려와 그들의 수장을 둘러쌌다.

"바보 같은 놈. 자, 말해보시지, 신이 있다고?"

머리를 물어뜯긴 수도원장이 숨을 거두는 순간 그 목소리가 외쳤다.

미지의 걸작

Le chef d'oeuvre inconnu

미지의 걸작[1]

1장

질레트

1612년 말 십이월의 어느 추운 날 아침, 아주 얇아 보이는 겉옷을 걸친 한 젊은 남자가 파리의 그랑조귀스탱 거리에 있는 어떤 집 문 앞에서 배회하고 있었다. 아무리 쉬운 여자라 해도 첫 정부(情婦)인 여인의 집에 감히 모습을 드러내지 못하는 우유부단한 연인처럼, 그는 한참동안 거리를 걷다가 마침내 집 입구를 넘어 들어갔다. 그리고 프랑수아 포르뷔스[2] 선생이 집

1 단편 『미지의 걸작 Le Chef-d'œuvre inconnu』은 1831년 8월 잡지 『L'Artiste』에 『프렌호퍼 선생Maître Frenhofer』이라는 제목으로 처음 발표되었다. 같은 해 동일 잡지에 『카트린 레스코, 환상 이야기 Catherine Lescault, conte fantastique』라는 제목으로 다시 실렸고, 이후 1845년에 『인간 희극 La Comédie humaine』 중 '철학 연구 Études philosophiques'에 『미지의 걸작』이라는 제목으로 분류되어 삽입된다.

2 프란츠 포르뷔스(Frans Pourbus, 1569-1622): 동명의 아버지와 구분하기 위해 '소(小) 포르뷔스(Frans Pourbus le Jeune)'라고도 불린다. 앙리 4세와 마리 드 메디시스, 루이 13세 등의 초상화를 그렸고, 뛰어난 초상화 실력 덕분에 유럽 전체에서 명성을 얻었다.

에 있는지 물어보았다. 아래층 홀을 청소하던 늙은 여인이 그렇다고 대답하자, 그는 천천히 계단을 올라가면서 왕이 자신을 어떻게 대할지 불안해하는 신참 궁신(宮臣)처럼 계단마다 멈춰 섰다. 나선형 계단의 꼭대기에 다다른 그는 잠시 층계참에 머무르면서 아틀리에의 문을 장식하고 있는 그로테스크한 형상의 문손잡이를 잡을지 말지 망설였다. 아마도 아틀리에 안에서는 루벤스[3] 때문에 마리 드 메디시스[4] 왕비에게 버림받은 앙리 4세[5]의 화가가 작업하고 있을 터였다.

젊은이는 위대한 예술가들이 한창 젊을 때나 혹은 예술에 대한 사랑이 절정일 때 어떤 천재적 인물이나 걸작 앞에서 경험하게 되는 심장의 박동 같은 그런 깊은 감정을 느꼈다. 인간

---

3 페테르 파울 루벤스(Peter Paul Rubens, 1577-1640): 17세기 바로크 회화 전체를 대표하는 화가. 이탈리아 중심의 남유럽 회화와 플랑드르 중심의 북유럽 회화를 하나로 종합했다는 평가를 받는다.

4 마리 드 메디시스(Marie de Médicis, 1573-1642): 이탈리아 피렌체의 명문 귀족 집안인 메디치 가문 출신의 프랑스 왕비. 앙리 4세의 부인이자 루이 13세의 모후다. 이탈리아어로는 마리아 데 메디치(Maria de' Medici)라고 부른다.

5 앙리 4세(Henri VI, 1553~1610): 프랑스의 왕. 낭트칙령을 통해 가톨릭과 개신교의 공존을 추구하였다. 1589년 즉위해 1610년 광신적 가톨릭교도 라바이약(Ravaillac)에게 암살당할 때까지 통치했다.

의 모든 감정에는 고귀한 영감에 의해 생성되는 시원의 꽃 같은 것이 존재하기 마련이다. 물론 그 영감은 항상 시들해져서, 행복은 단지 하나의 추억에 불과해지고 영광은 한낱 거짓말에 불과해지지만 말이다. 부서지기 쉬운 우리의 감정들 중 그 어떤 것도, 영광과 불행으로 점철되는 운명의 감미로운 형벌을 시작하는 예술가의 젊은 열정 같은 사랑과 닮은 것은 없다. 오만함과 수줍음, 모호한 믿음과 확실한 절망으로 가득 찬 그 열정.

돈은 없지만 재기 있는 청년이 대가를 만나 심장이 강하게 고동치지 않는다면, 그에게는 항상 가슴 속에 현(絃) 하나가 부족하다 할 수 있을 것이다. 어떻게 표현해야 할지 모르겠지만, 작품 속의 어떤 감정 하나가, 어떤 시적인 표현 하나가 빠져 있다고 말할 수 있는 것이다. 자신에 대한 확신으로 가득 차 너무 일찍 미래를 낙관하는 허풍선이들은 그저 바보들에게나 재능 있는 사람으로 보일 뿐이다.

이 점에서, 이 미지의 젊은이는 진정한 덕목을 지닌 것처럼 보였다. 재능을 평가하는 기준이 일차적인 수줍음과 정의할 수 없는 순수함에 있다면 말이다. 하지만 영광이 약속된 이들은 마치 귀여운 여인들이 교태의 수작을 부리다 그녀들의 순수함을 잃는 것처럼, 그들의 예술을 실행하는 과정에서 그 순수함을 잃어간다. 순수함이란 분명 하나의 의심일 텐데, 승리의 습관이 그 의심을 감퇴시키기 때문이다.
그 순간 자신의 불손함에 놀란, 가난에 짓눌린 이 가엾은 풋내기는 우연이 그에게 선사한 특별한 도움이 없었다면 앙리 4세의 훌륭한 초상화[6]를 그린 그 화가의 집에 들어가지 못했을 것이다. 때마침, 한 노인이 막 계단을 올라왔던 것이다.

젊은이는 그의 기묘한 의상과 레이스가 달린 화려한 가슴 장식, 그리고 위엄 있으면서도 차분한 거동을 보면서 이 인물이 화가의 후원자이거나 친구일 거라고 짐작했다. 그는 노인에게 길을 내주기 위해 층계참에서 뒤로 물러났다. 그리고 그를 주의 깊게 살펴보면서 그에게서 예술가의 좋은 성품이나, 예술을 사랑하는 이들의 친절한 성격을 찾아내려 했다. 그러나 그는 노인의 모습에서 악마적인 어떤 것을, 특히 예술가들을 유

6 실제로 포르뷔스가 1610년에 앙리 4세의 이 전신 초상화를 그렸으며, 현재 루브르박물관에 소장되어 있다.

혹에 빠뜨리는 '무언지 모를 그것'을 발견했다.
벗겨지고 가운데가 불룩 튀어나왔을 뿐 아니라 아래로 내려오며 다시 돌출해 있는 이마와, 라블레[7]나 소크라테스의 그것처럼 작고 납작하며 위로 들린 코를 상상해 보라. 웃음기 있고 주름진 입과 거만하게 들어 올린 짧은 턱, 뾰족하게 자른 회색 턱수염, 나이로 인해 흐릿해 보이는 청록색 눈을 떠올려보라. 진주모빛의 흰자위와 그 속에 떠다니는 눈동자가 대조를 이루고, 이따금씩 분노나 열의가 넘치는 매혹적인 시선을 던지는 그 눈. 게다가, 얼굴은 나이의 피로로 인해, 특히 영혼과 육체를 동시에 파헤치는 어떤 생각들로 인해 기이하게 시들어 있었다. 눈에는 속눈썹이 없었고, 튀어나온 둥근 눈두덩 위로 겨우 몇 가닥 눈썹의 흔적만이 보였다.
이 얼굴을 가늘고 허약한 몸 위에 올려놓아 보라. 생선 나이프 같은 것으로 손질한 반짝이는 흰색 레이스로 감싸 보라. 그리고 노인의 검은 저고리 위에 무거운 금줄을 걸쳐 보라. 그러면 당신은 계단의 희미한 빛이 환상적인 색을 더해주는 이 인물

7 프랑수아 라블레(François Rabelais, 1494-1553): 프랑스의 작가. 의사이자 인문학자.

에 대해 불완전한 어떤 이미지를 얻게 될 것이다. 즉 자신이 만들어낸 어두운 분위기 속에서, 위대한 화가 렘브란트[8]가 조용히 걷고 있는 듯한 액자 없는 그림 한 점을 떠올리게 될 것이다.
노인은 젊은이에게 예리한 시선을 던지더니 문을 세 번 두드렸다.
그러고는 문을 열고 나온, 대략 마흔 살쯤 되어 보이는 병약한 남자에게 말을 건넸다.
"안녕하셨소, 선생."

포르뷔스는 정중하게 몸을 숙여 인사했다. 그는 노인이 젊은이를 데리고 온 것이라 생각하며 그 역시 들어오게 했지만, 그에게 별로 주의를 기울이지는 않았다. 이 초보화가가, 타고난 화가라면 자신이 처음 본 작업실, 즉 예술의 몇몇 물질적 제작 방식이 그대로 드러나 있는 작업실 모습에서 느끼기 마련인 매력에 흠뻑 빠져 있었기 때문이다.
둥근 천장의 열린 창문이 포르뷔스 선생의 작업실을 비춰주었

8 렘브란트(Rembrandt Harmenszoon van Rijn, 1606-1669): 네덜란드 화가. 빛과 어둠을 극적으로 배합한 걸작들을 다수 남겼다.

다. 햇빛은 아직 서너 개의 흰색 선들만 그려진 채 이젤 위에 놓인 그림 한 폭에 집중되어 있었고, 거대한 방의 구석 깊은 어둠에까지는 이르지 못했다. 하지만 그 암갈색의 어둠 속에서, 몇 개의 흩어진 반사광들이 벽에 매달린 독일 기병 갑옷의 배 부분 은빛 조각 하나를 비추거나, 신기한 식기들로 가득 찬 고풍스러운 식기대의 돌출된 밀랍 조각 장식을 날카로운 한 줄기 빛으로 드러내고 있었다. 혹은 견본처럼 던져지고 해진, 커다랗게 주름 잡힌 낡은 황금색 비단 커튼의 오돌토돌한 씨실을 반짝이는 빛의 점들로 찌르듯 비추고 있었다.
선반과 콘솔테이블들 위에는 석고로 된 인체도[9]들과 수세기 동안 애정 어린 키스를 받아 윤이 나는 고대 여신들의 토르소 및 일부 파편들이 잔뜩 널려 있었다. 수많은 초벌그림과 황적색 연필 또는 펜을 이용한 삼색 습작들이 벽의 천장까지 뒤덮고 있었다. 또, 물감상자, 채색기름과 휘발유 병, 뒤집어진 나무의자들이 사방에 흩어져 있어서 큰 유리창이 투사하는 후광 아래까지 좁은 길만이 나 있었다. 큰 유리창의 빛은 창백

9 écorché: 골격 또는 근육의 연구용으로 피부를 벗긴 인체도.

한 포르뷔스의 얼굴과 그 이상한 노인의 상아색 머리 위로 가득 떨어지고 있었다.

젊은이는 곧 한 그림에 주의를 집중했다. 그 그림은 이 혼란과 혁명의 시대[10]에 이미 유명해진 것으로, 불행한 시절에도 성스러운 열정을 간직했던 몇몇 고집스러운 애호가들이 보러 왔었다. 이 아름다운 그림은 뱃삯을 내려 하는 '이집트 여인 마리아'[11]를 표현하고 있었다. 이 걸작은 마리 드 메디시스를 위해 그린 것이었지만, 그녀는 궁핍했던 시절에 그것을 다시 팔아버렸다.

"자네의 성녀가 마음에 드는군."

---

10 1610년 앙리 4세의 암살 이후, 어린 루이 13세를 대신해 마리 드 메디시스가 섭정하던 시기를 가리킨다. 마리 드 메디시스는 이탈리아 출신 보좌관 콘치니와 함께 대내외적으로 정치적, 종교적 갈등을 부추기는 정책을 추진해 많은 불안과 불만을 야기했다.

11 '이집트 성녀 마리아'를 가리킨다. 354년경 이집트에서 태어난 그녀는 열두 살 때 집을 나와 알렉산드리아에서 17년간 창녀로 살았다. 서른한 살이 되던 해 순례자들과 함께 예루살렘으로 떠나는 배에 올랐고, 예루살렘에 건너가서도 순례자들을 유혹하며 돈을 받는 생활을 계속했다. 얼마 후 그녀는 예루살렘 성당에서 신비스러운 힘을 느끼고 자신의 삶을 참회하며 고행자로 살기로 결심했고, 요한 세례자가 살았던 광야로 가서 47년간 야생의 열매를 먹으며 속죄의 삶을 살았다. 전설에 따르면, 그녀는 뱃사공에게 몸을 팔아 예루살렘으로 가는 뱃삯을 대신했다. 푸생도 '이집트 성녀 마리아'의 데생을 그린 바 있다.

노인이 포르뷔스에게 말했다.

"자네에게 왕비가 주었던 금액보다 더 많은 금화 10에퀴[12]를 지불하겠네. 그런데 내가 그녀와 경쟁을 해야 하나?... 젠장!"

"그림이 괜찮아 보이십니까?"

"허허!" 노인이 말했다. "괜찮냐고? 그렇기도 하고 아니기도 하지. 자네의 이 훌륭한 여인은 그럭저럭 요령 있게 그려졌네. 하지만 그녀는 살아 있지 않아. 자네와 같은 이들은 형상을 정확히 묘사하고 해부학 법칙에 따라 각각의 것을 제자리에 놓고 나면 모든 것을 다 했다고 믿는단 말이야! 자네들은 팔레트에서 미리 만들어진 살색으로 이 윤곽선을 채색하면서 한쪽을 다른 쪽보다 더 어둡게 유지하는 데에만 심혈을 기울이지. 그리고 테이블 위에 서 있는 나체의 여인을 틈틈이 바라보았기 때문에, 실물을 그대로 모사했다고 생각해. 스스로를 화가라 생각하고 신의 비밀을 훔쳐냈다고 생각하지!... 흠! 위대한 시인이 되기 위해서는 통사법을 완전히 이해하는 것만으로, 언어적 실수를 범하지 않는 것만으로 충분치 않아!

---

12 écu: 프랑스의 옛 화폐. 5프랑에 해당하는 금화 또는 은화.

자네의 성녀를 보게, 포르뷔스. 처음 보면 성녀는 근사해 보이네. 하지만 두 번째 보면 그녀가 그림의 배경에 달라붙어 있어 그녀의 육체를 둘러볼 수 없다는 것을 알아차리게 되네. 이것은 단 하나의 면만을 가진 실루엣이고, 절단된 외양이며, 뒤돌려 볼 수도, 위치를 바꿀 수도 없는 이미지일 뿐이야. 이 팔과 그림의 바탕 사이에 공기가 흐르는 것을 느낄 수가 없네. 공간과 깊이가 부족하기 때문이지. 물론, 투시법상으로는 모든 게 좋아. 대기원근법[13]도 정확히 지켜지고 있고.
하지만 그토록 칭찬할 만한 노력에도 불구하고, 나는 이 아름다운 육체가 따뜻한 생명의 숨결을 받아 생기를 띠고 있다고 생각하지 않네. 너무 탄탄하고 둥근 이 목에 손을 얹으면 마치 대리석처럼 차갑게 느껴질 것 같군! 아니야, 친구, 이 상아처럼 흰 피부 아래로는 피가 흐르지 않아. 그녀의 육체는 존재하지만, 관자놀이와 가슴의 투명한 황갈색 피부 아래에 그물처럼 얽혀 있는 혈관과 소섬유(小纖維)는 주홍빛 핏방울로 채워져 있

13 dégradation aérienne: 직역하면 '대기의 점진적 약화'이나, 여기서는 '대기원근법(perspective aérienne)'을 가리킨다. 대기원근법(大氣遠近法)이란, 공기의 작용으로 물체가 멀어짐에 따라 빛깔이 푸름을 더하고 채도가 감소하며 물체 윤곽이 희미해지는 현상에 바탕을 두고 원근감을 나타내는 표현법을 말한다.

지 않네. 이 부분은 꿈틀거리고 있지만, 다른 부분은 움직이질 않아. 삶과 죽음이 각각의 세부에서 서로 맞서고 있는 셈이지. 여긴 여자이지만, 저긴 조각이고, 나머지는 시체야. 자네의 창조물은 불완전해. 자네는 자네의 소중한 작품에 자네 영혼의 일부만을 불어넣었을 뿐이야. 프로메테우스의 불[14]은 자네의 손에서 여러 번 꺼졌고, 자네의 그림의 많은 부분이 천상의 불꽃을 거치지 못했어."

"하지만 왜 그렇습니까. 선생님?"

포르뷔스는 노인에게 공손히 물었다. 젊은이는 노인을 한 대 치고 싶은 강한 욕구를 간신히 억누르고 있었다.

"자, 들어보게."

작은 노인이 말했다.

"자네는 두 체계 사이에서 우유부단하게 흔들렸어. 데생과 색채 사이에서, 엄밀한 냉정함과 눈부신 격정 사이에서, 그리고

---

14 프로메테우스의 불: 그리스 신화에 따르면, 프로메테우스는 제우스의 불을 훔쳐 인간에게 내어준 죄로 날마다 쇠사슬에 묶인 채 독수리에게 간을 쪼아 먹히는 형벌을 받게 된다. 여기서 프로메테우스의 불은 원래 천상에 있던 것, 즉 천상의 수준에 다다른 예술을 뜻한다.

옛 독일 대가들의 틀림없는 엄격함과 이탈리아 화가들의 적절한 풍요로움 사이에서 말이야. 자네는 한스 홀바인[15]과 티치아노[16]를, 알브레히트 뒤러[17]와 파올로 베로네세[18]를 동시에 모방하려 했지. 물론 그건 그럴듯한 야망이야!
하지만 어떻게 되었나? 자네는 엄격한 건조함의 매력도, 시선을 현혹하는 명암 효과의 마법도 얻지 못했어. 녹아버린 청동이 너무 약한 주형을 파열시키는 것처럼, 이 부분에서 자네가 흘려 넣었던 티치아노의 풍요로운 금색은 알브레히트 뒤러의 보잘 것 없는 윤곽선을 파열하게 만들었네. 게다가, 그 윤곽선은 소멸되지 않은 채 베네치아풍 색채의 화려한 과잉을 억누르네. 자네의 형상은 완벽하게 그려지지도, 완벽하게

15 한스 홀바인(Hans Holbein le Jeune, 1497-1553): 독일 르네상스를 대표하는 화가이며, 특히 초상화 예술의 전통을 정점으로 끌어올린 화가로 평가받는다. 바젤, 이탈리아, 런던 등지에서 명성을 얻고 영국 헨리 8세의 궁정 화가가 된다.

16 티치아노(Tiziano Vecellio, 1488?-1576): 르네상스 시대의 화가로 16세기 베네치아 화파를 완성한 거장이다. 빛의 표현에 뛰어났으며, 풍부한 색채감을 보여 주는 걸작을 다수 남겼다.

17 알브레히트 뒤러(Albrecht Dürer, 1471-1528): 수많은 자화상을 남긴 독일의 화가로 독일 르네상스 회화의 완성자로 불린다. 구텐베르크에 의해 촉발된 인쇄물 유통망을 활용해 자신의 작품을 유럽 전역에 판매했고, 상업적으로 큰 성공을 거두었다.

18 파올로 베로네세(Paolo Veronese, 1528-1588): 16세기 후반 베네치아의 화가. 티치아노에게 영향을 받아 화려한 색채의 대형 장식화를 주로 그렸다.

채색되지도 않았어. 그저 불행한 우유부단함의 흔적들을 여기저기 지니고 있을 뿐이지. 자네가 자네의 재능으로 두 개의 대립적 방식을 한데 녹여낼 만큼 뛰어나지 못하다고 느꼈다면, 둘 중 하나를 솔직하게 선택했어야만 했네. 그래야 생명의 조건 중 하나인 통일성을 얻을 수 있었을 거야. 자네는 그림의 배경에서만 진실하네. 자네 형상의 윤곽선들은 부정확하고 제대로 몸을 둘러싸지 못하며 배후의 어떤 것도 기대하지 못하게 하지."

노인이 성녀의 가슴을 가리키며 말했다.

"여기에는 진실이 있네."

그리고 어깨가 끝나는 그림의 지점을 짚으며 말했다.

"여기도. 그러나 저 부분은 모든 게 잘못됐어."

그는 목의 가운데 부분으로 되돌아오며 말했다.

"더 이상은 분석하지 않겠네. 자네를 절망에 빠뜨릴 테니까."

노인은 나무의자에 주저앉아 손으로 머리를 감싼 채 아무 말도 하지 않았다.

"선생님" 포르뷔스가 그에게 말했다.

“저는 이 목을 나신의 상태에서 제대로 연구했습니다. 하지만 불행한 사실은, 자연에서 실제로 일어나는 효과가 화폭 위에서는 가능하지 않다는 거죠...”

“예술의 임무는 자연을 모방하는 것이 아니라 표현하는 것이네! 자네는 비루한 모방자가 아니라 시인이야!”

노인은 난폭한 몸짓으로 포르뷔스의 말을 끊으며 격하게 소리쳤다.

“다시 말해, 조각가라면 여자를 주조하는 순간 모든 작업으로부터 벗어날 수 있지! 자, 좋아, 자네 애인의 손을 주조해서 자네 앞에 놓아보게. 자네는 어떤 유사점도 없는 그저 끔찍한 시체 하나를 보게 될 거야. 자네는 결국 그 손을 정확하게 복제하는 대신 그것의 움직임과 생명력을 나타내 줄 인간의 끌을 찾으러 가게 될 걸세. 우리는 사물과 존재들의 정신과 영혼, 인상(人相)[19]을 포착해야 하네. 그래, 효과! 효과를! 하지만 효과는 생명의 부수적 사건이지, 생명 자체는 아니야.

---

19 physionomie: 프랑스어 physionomie는 단순한 ‘얼굴 생김’이나 ‘표정’을 뜻하는 것을 넘어, 사물과 존재의 특별한 외적 형상인 ‘인상(人相)’을 가리킨다. ‘인상’은 사물, 인간, 자연 등 이 세계를 구성하는 모든 존재들의 외적 형상을 뜻하는데, 그 외적 형상은 반드시 정신이나 영혼 등 내적 특질을 드러낼 수 있어야 한다.

손, 아까 예로 들어서 다시 말하는 건데, 손은 단지 육체에만 속하는 것이 아니라, 우리가 포착해서 재현해야만 하는 어떤 생각을 표현하고 연장해 내는 것이야. 화가도, 시인도, 조각가도 원인과 결과를 분리시킬 수는 없네. 그 둘은 어쩔 도리가 없을 정도로 서로가 서로에 속해있지! 진짜 투쟁은 바로 거기에 있는 거야! 수많은 화가들이 이러한 예술의 테마를 알지 못한 채 직관적으로만 성공을 거두지. 자네들은 여자를 그리지만 그녀를 보지는 못해! 그렇게 해서는 자연의 비밀을 손에 넣을 수가 없어. 자네들의 손은 스승의 작품에서 베꼈던 모델에 대해 사유하지 않은 채 그것을 재현할 뿐이지. 자네들은 형태의 내면으로 충분히 침잠하지 못하고, 우회하기도 하고 달아나기도 하는 그 형태를 충분한 사랑과 인내로 쫓지도 못해.
미(美)란 엄격하고 어려운 것이네. 결코 이런 식으로 도달하도록 내버려두지 않지. 그것의 시간을 기다려야만 하고, 그것을 탐색하고 압축해야 하며, 그것이 스스로를 드러내도록 긴밀하게 얽어매야 하네. 형태는 신화 속의 프로테우스[20]보다 훨씬

20 프로테우스: 그리스 신화에 등장하는 변신의 신. 이방인을 싫어해서 매번 모습을 바꾸며 도망쳤다고 함.

더 붙잡기 어렵고 풍요롭고 굴곡 많은 프로테우스야. 긴 싸움을 거쳐야만, 미를 그것의 진정한 모습으로 드러낼 수 있지. 자네들! 자네들은 자네들 눈앞에 펼쳐진 형태의 첫 번째 외양에 만족하지. 혹은 기껏해야 두 번째 혹은 세 번째 외양에 만족해버리지. 하지만 승리하는 투사들은 그렇게 하지 않아. 패배해 본적이 없는 그 화가들은 어떤 핑계들에도 속아 넘어가지 않는다네. 그들은 자연이 결국 진정한 영혼 속에서 벌거벗은 모습으로 스스로를 드러낼 때까지 끈질기게 매달리지. 라파엘로[21]는 그렇게 했네."

노인은 미술의 왕이 그에게 영감을 준 것에 경의를 표하기 위해 챙 없는 검은색 벨벳 모자를 벗으며 말했다.

"그의 위대한 우월함은 내적 의미에서 비롯되네. 내적 의미는 그의 작품 안에서 '형태'를 부수고자 하는 것처럼 보이지. 형태는 그림 안에 있는 것이지만 동시에 우리 안에 있는 것이네. 그것은 관념과 감각을 서로 주고받기 위한 중개물이며, 하나의 거대한 시야. 모든 형상은 하나의 세계이네. 또한 모델이 숭

21 라파엘로(Raffaello Sanzio da Urbino, 1483-1520): 이탈리아 르네상스의 가장 유명한 화가인 라파엘로 산치오를 가리킨다.

고한 비전 속에서 나타나고, 빛으로 물들어 있으며, 내적인 목소리에 의해 지시되고, 천상의 손가락에 의해 실체를 드러내는 하나의 초상화이지. 그 천상의 손가락은 모든 삶의 과거에서 표현의 원천들을 찾아내 보여준다네. 자네들은 자네들의 여인들에게 아름다운 살색 드레스와 아름다운 머리 두건을 만들어주었지. 하지만 평안이나 열정을 낳는 피, 특별한 효과를 일으키는 피는 어디에 흐르고 있는가? 자네의 성녀는 갈색머리 여인이지만, 가엾은 포르뷔스여, 이것은 금발 여인이라네. 자네들의 그림들은 그러니까 창백한 채색 유령들일 뿐이고, 자네들은 그것들을 우리 눈앞에 보여주며 회화라고, 예술이라고 부르지. 집보다는 여자를 더 닮은 무언가를 그렸다는 이유로, 자네들은 목표를 달성했다고 믿네. 그림들 옆에 더 이상 초기 화가들처럼 '근사한 수레' 혹은 '잘 생긴 남자'라고 쓰지 않아도 되는 것을 자랑스러워하면서, 자네들은 경이로운 예술가가 되었다고 생각하지.
아아! 나의 선량한 동료들이여, 자네들은 아직 예술가가 아니야. 거기에 도달하려면 수많은 목탄들을 닳도록 써야 하고, 수많은 화폭들을 그림으로 채워야 하네. 확실히, 여자들은 이런 식으로 머리를 두고, 이렇게 치마를 입지. 생기를 잃은 눈은 체념한 듯 부드러운 표정과 결합되고, 떨리는 속눈썹의 그림자는 이렇게 두 뺨 위에 떠다니지. 하지만 그렇기도 하고 그렇지 않기도 하네. 여기 자네그림에 무엇이 빠져 있나? 아주 사소한 것이지. 그런데 그 사소한 것이 전부이기도 하네. 자네는 생명의 겉모습을 그리지만, 그것의 넘쳐흐르는 충만함을 표현하지는 못해. 무엇인지는 모르지만 아마도 영혼인 그것, 육체 위를 구름처럼 떠다니는 그것을 표현하지는 못하지. 티치아노와 라파엘로가 간파했던 그 '생명의 꽃' 말이야. 자네가 도달했던 그 극단적인 지점에서 출발하면 어쩌면 훌륭한 그림을 그릴 수도 있을 거야. 하지만 자네는 너무 빨리 내려놓았어. 평범한 사람들은 칭찬하겠지만 진짜 전문가는 웃겠지. 오, 마뷔즈![22] 오 나의 스승님!" 이 이상한 인물은 덧붙였다. "자네는 도둑이야. 생명을 앗아갔으니까!"

22 얀 마뷔즈(Jan Mabuse, 1478-1532): 플랑드르의 화가. 본명은 얀 호사르트(Jan Gossaert). 플랑드르 회화에 이탈리아 르네상스 양식을 도입한 선구자 중 한 사람으로 꼽힌다.

그는 다시 말을 이어갔다.

"이 점을 제외한다면, 이 그림은 루벤스라는 그 천한 놈의 그림들보다는 낫지. 주홍 반점들이 흩뿌려진 산더미 같은 플랑드르 산(産) 몸뚱아리와 구불거리는 적갈색 머리카락으로 채워져 있고 또 지나치게 색을 노출시킨 그 그림들보다는 말이야. 적어도, 자네들은 미술의 세 가지 본질적 요소인 색채, 감정, 데생을 갖추고 있지."

"하지만 이 성녀는 탁월합니다, 어르신!"

젊은이는 깊은 몽상에서 깨어나며 커다란 목소리로 소리쳤다.

"이 두 형상, 즉 성녀의 형상과 뱃사공 형상은 이탈리아 화가들은 모르는 섬세한 의도를 지니고 있습니다. 저는 뱃사공의 주저하는 마음을 이처럼 표현해낸 화가를 단 한 명도 알지 못합니다."

"이 어린 친구는 선생님 제자인가요?"

포르뷔스가 노인에게 물었다.

"아! 선생님, 저의 무례함을 용서해 주십시오."

초보화가가 얼굴을 붉히며 대답했다.

"저는 그저 직관을 따르는 서툰 무명화가입니다. 모든 지식의 원천인 이 도시에 얼마 전에 도착했고요."

"그려보게!" 포르뷔스는 그에게 붉은색 묵탄과 종이 한 장을 내밀며 말했다.

무명 화가는 재빠르게 마리아의 윤곽선을 따라 그렸다.

"오!" 노인이 소리쳤다, "자네의 이름은?"

젊은이는 그림 아래에 '니콜라 푸생'[23]이라고 적었다.

"초보치고는 나쁘지 않군."

그토록 미친 듯이 이야기를 늘어놓던 이상한 노인이 말했다.

"자네 앞에선 그림에 대해 이야기할 수 있을 것 같군. 자네가 포르뷔스의 성녀를 찬양했다고 해서 비난할 생각은 없네. 이것은 모든 사람에게 걸작으로 보일 거야. 단지 예술의 가장 깊은 비밀에 통달한 전문가만이 그것의 결함이 어디 있는지 찾

---

23 니콜라 푸생(Nicolas Poussin, 1594-1665): 17세기 프랑스 화가. 회화뿐 아니라 문학, 철학, 고전예술에 심취해 있던 푸생은 1624년 로마로 건너가 새로운 예술에 눈을 뜬다. 이탈리아 르네상스 미술에 대한 기존의 관심에 베네치아 화가들의 영향이 더해져 르네상스 휴머니즘을 바탕으로 하는 새로운 고전주의 화풍이 만들어진 것. 이때부터 푸생은 기하학적 대칭구도, 엄정한 묘사, 절제된 색조, 정확한 색상 대비, 조각상 같은 부동성 등 독자적인 회화 세계를 구축해 나간다. 그의 양식은 이후 17세기 고전주의 회화의 모델이 된다.

아낼 수 있지. 자네가 내 가르침을 들을 만하고 이해할 수도 있을 것 같으니, 이 작품을 완성하기 위해 얼마나 사소한 것이 필요한지 알려주겠네. 눈을 크게 뜨고 집중해서 보게. 자네를 가르쳐줄 이런 기회는 아마 다시 오지 않을 거야. 팔레트 주게, 포르뷔스."

포르뷔스는 팔레트와 붓을 찾으러 갔다. 작은 노인은 발작적이라 할 만큼 거친 동작으로 소매를 걷어 올린 후, 포르뷔스가 내민 알록달록한 물감 팔레트에 엄지손가락을 담갔다. 그러고는 포르뷔스의 손에서 다양한 크기의 화필 한 움큼을 빼앗다시피 가져왔다. 뾰족하게 다듬은 그의 턱수염이, 마치 사랑의 환상에 대한 억누를 수 없는 욕망처럼 강하게 밀려드는 항력으로 인해 갑자기 움직였다. 물감에 붓을 적시면서 그는 입속말하듯 중얼거렸다.

"이런 색조들은 이걸 만들어낸 인간과 함께 창밖으로 던져버려야 해. 불쾌할 정도로 노골적이고 잘못되어 있어. 이걸로 어떻게 칠하지?"

그는 격렬하고 열에 들뜬 몸짓으로 붓 끝을 여러 색깔 물감에 담갔고, 이따금씩 성당의 오르간 연주자가 부활절의 〈오,

아들과 딸〉[24]을 연주할 때 건반의 음역을 주파하는 것보다 더 빠른 속도로 물감의 색 전체를 훑고 지나갔다. 포르뷔스와 푸생은 각각 캔버스의 한쪽에 꼼짝 않고 서서 강렬한 응시 속에 빠져들었다.

"자, 보게, 젊은이."

노인은 뒤돌아보지 않고 말했다.

"어떻게 서너 번의 터치와 푸르스름한 작은 글라시[25]가 두터운 대기 속에 갇혀 질식할 것만 같던 이 가엾은 성녀의 머리 주위로 공기를 돌게 하는지 보이는가? 이 주름진 옷이 어떻게 나부끼는지, 산들바람이 그것을 들어 올리는 게 어떻게 표현되는지 잘 보란 말이야! 이전까지 이것은 핀으로 고정시킨 딱딱한 그림 같았지. 하지만 내가 지금 막 가슴 부분에 더한 새틴 같은 광택이 어떻게 젊은 처녀의 피부 같은 매끄러운 유연성을 만들어내는지 보게나. 어떻게 붉은 갈색과 그을린 황적색

24 <O, filii et filiae de Pâques>: '예수의 부활'을 찬미하는 가톨릭 성가. 프렌호퍼의 붓 터치가 포르뷔스가 그린 '이집트 성녀 마리아' 그림에 생명을 부여한다는 사실을 암시하기 위해 삽입된 것으로 보인다.

25 glacis: 밑그림이 마른 뒤 투명 물감을 엷게 칠하여 화면에 윤기와 깊이를 주는 유화 기법.

을 섞은 색조가 피가 흐르지 않고 굳어 있던 이 커다란 형체의 생기 없는 차가움을 따뜻하게 데우는지 보게나.

이봐, 젊은이, 내가 여기서 자네에게 보여 주는 것은 어떤 선생도 가르쳐 줄 수 없는 거야. 오직 마뷔즈 선생만이 그림에 생명을 불어넣는 비밀을 알고 있었지. 마뷔즈 선생에게는 단 한 명의 제자가 있었는데, 그게 바로 나야. 나는 제자가 없었고, 어느새 늙어버렸지! 자네는 내가 잠시 보게 해 준 것으로 나머지를 파악할 수 있는 지혜를 지니고 있겠지."

이런 얘기들을 하면서, 그 이상한 노인은 그림의 모든 부분에 손을 댔다. 여기에는 두 번 붓칠하고 저기에는 한 번 붓칠했지만, 항상 너무도 적절해서 하나의 새로운 그림을, 빛으로 흠뻑 물든 어떤 그림을 보는 것 같았다. 그는 벗겨진 이마에 땀방울이 맺힐 만큼 아주 열정적이고 격렬히 작업했다. 그가 몹시 조급하고 발작적인 작은 동작들로 너무 빠르게 그렸기 때문에, 젊은 푸생은 마치 그 이상한 인물의 육체 안에 악마가 들어가 있는 것처럼 느꼈다. 악마가 인간의 의사와 상관없이 환상적으로 손을 잡고 움직이고 있는 것처럼 여겨졌다. 초자연적인 눈의 광채와 저항의 결과인 듯한 경련은 이런 생각을 진실처럼 보이게 했고 젊은이의 상상에도 영향을 미쳤다. 노인은 그리면서 말했다.

"탁, 탁, 탁! 자, 어떻게 바르는지 보게, 젊은이! 작은 터치들이여, 이 얼음처럼 차가운 색조를 다갈색으로 만들어 주길! 자, 그래! 퐁! 퐁! 퐁!"

노인은 그가 생명이 결여되어 있다고 지적했던 부분들을 따뜻하게 만들면서 말했다. 몇 개의 반점 같은 색들로 화질의 차이를 사라지게 했고, 열정적인 이집트 여인 그림에 필요했던 색조의 통일성을 복구시켰다.

"보게, 어린 친구. 결국 중요한 건 마지막 붓의 터치야. 포르뷔스는 그걸 백 번이나 시도했지만, 난 단 한 번으로 끝냈어. 우리 중 누구도 이면에 숨겨진 것의 의미를 알진 못하지. 이 점을 잘 알아야만 하네!"

마침내 그 악마는 멈추었다. 그리고 침묵한 채 감탄에 마지않는 포르뷔스와 푸생을 향해 몸을 돌리며 말했다.

"이것은 아직 나의 '카트린 레스코' 보다는 못하지만, 그래도 이 정도 작품이면 아래에 서명할 만하지. 그래, 서명하겠네."

그는 일어나면서 덧붙였고, 거울을 집어 들고 그 속에 비친 그림을 바라보았다.

"이제, 점심 먹으러 가지." 그가 말했다.

"두 사람 다 내 집으로 가세. 훈제 햄과 맛좋은 포도주가 있어! 음! 불행한 시대이지만 그림에 대해 이야기 나눌 수는 있지! 우리에겐 그럴 능력이 있어." 그는 니콜라 푸생의 어깨를 두드리며 덧붙였다. "여기 재능 있는 젊은 친구도 있고 말이야." 그때 그는 노르망디 청년의 초라한 웃옷을 알아보고, 허리춤에서 가죽 지갑을 꺼내 뒤졌다. 그리고 금화 두 개를 쥐어 그에게 내밀었다.

"내가 자네의 데생을 사지." 그가 말했다.

"받게." 포르뷔스가 부끄러움에 몸을 떨면서 얼굴을 붉히는 푸생을 바라보며 말했다. 그는 그 가난한 청년이 자랑스러웠다.

"받아두게, 선생님은 두 왕의 몸값[26]을 지갑 안에 넣고 다니시지!"

26 rançon de deux rois: rançon de roi에서 파생. '대단히 많은 금액'을 가리키는 관용어.

세 사람은 아틀리에에서 내려왔다. 그리고 예술에 대해 대화를 나누며 생미셸 다리 근처에 있는 아름다운 목조 주택까지 걸어갔다. 주택의 장식문양과 문손잡이, 십자형 창틀, 아라베스크 장식들은 푸생의 경탄을 자아냈다. 장래가 촉망되는 화가는 어느새 아래층 홀에 들어와 따뜻한 불 앞에 서 있었고, 옆에는 먹음직스러운 요리가 가득한 테이블이 놓여 있었다. 또한 믿을 수 없는 행운 덕분에, 호의 넘치는 두 위대한 예술가들과 함께 있었다.

"젊은이." 포르뷔스가 한 그림 앞에 깜짝 놀란 채 서 있는 그를 보면서 말했다. "그 그림을 너무 쳐다보지 말게. 절망에 빠지게 될 거야."

그것은 노인의 스승인 마뷔즈가 채권자들 때문에 아주 오랫동안 갇혀 있던 감옥에서 나오기 위해 그린 〈아담〉[27]이었다. 실제로 그 그림은 너무나 강렬한 사실성을 드러내고 있어서, 니콜라 푸생은 그 순간부터 노인이 얘기했던 혼란스러운 말들

27 실제로 마뷔즈는 생애 동안 여러 점의 아담과 이브 그림을 그렸다.

의 참된 의미를 깨닫기 시작했다. 노인은 만족스러운 표정으로 그림을 바라보았지만 열광하지는 않았고, "내가 더 잘 그렸지!"라고 말하는 듯했다.

"여기에는 생명이 있네." 그가 말했다.

"가엾은 나의 스승은 이 그림에서 평소보다 더 뛰어난 실력을 발휘했지. 하지만 그림의 바탕에는 여전히 약간의 진실이 부족해. 인물은 충분히 살아 있지. 일어나서 우리에게 다가올 정도야. 하지만 우리가 숨 쉬는 공기, 바라보는 하늘, 느끼는 바람은 없네. 그림에는 그저 인물만 존재하는 거야! 게다가 인간은 신의 손으로 직접 빚은 유일한 존재이기 때문에 신성한 무언가를 지녀야 하는데, 그것이 결여되어 있어. 마뷔즈 선생도 술에 취해 있지 않을 때는 스스로 분통해하며 그렇게 얘기했었지."

푸생은 들뜬 호기심으로 노인과 포르뷔스를 번갈아 쳐다보았다. 그리고 집주인의 이름이 무엇인지 물어보려는 듯 포르뷔스에게 다가갔다. 그러나 화가는 수수께끼 같은 표정을 지으며 손가락을 입술에 갖다 대었다. 젊은이는 몹시 궁금했지만 침묵을 지켰고, 조만간 어떤 단어가 튀어나와 집주인의 이름을 알아맞히게 해 줄 거라고 기대했다. 집주인의 부(富)와 재능은 포르뷔스가 그에게 표하는 존경과 이 방 안에 쌓여 있는 값진 것들로도 충분히 입증되었다.

푸생은 거무스름한 떡갈나무 판자 위에 놓인 멋진 여성 초상화를 보며 소리쳤다.

“정말 아름다운 조르조네[28]의 그림이네요!”

“아닐세!” 노인이 대답했다. “자네가 보는 것은 서투른 내 초기 그림 중 하나야.”

“이럴 수가! 저는 그럼 회화의 신의 집에 와 있는 거네요.”

푸생이 천진난만하게 말했다. 노인은 오래전부터 그런 찬사에 익숙해져 있는 사람처럼 미소 지었다.

“프렌호퍼 선생님!” 포르뷔스가 말했다.

---

28 조르조네(Giorgione, 1477-1510): 15~16세기 이탈리아 화가. 르네상스 최전성기의 베네치아파를 대표하는 화가이지만 젊은 나이에 요절했고 생애에 대해서도 알려진 사실이 거의 없다. 1495년경 베네치아로 가서 조반니 벨리니에게 그림을 배웠고, 이내 베네치아 최고의 화가로 인정받는다. <잠자는 비너스>로 근대 나체화의 기초를 만들었으며, <폭풍우>에서는 구도 대신 색채로 화면의 통일성을 만들어 내 근대 회화의 새로운 세계를 개척하기도 했다.

"선생님의 그 맛좋은 라인산(産) 포도주를 조금만 가져오게 하실 수 있나요?"

"두 파이프[29] 대접하지." 노인이 말했다. "한 파이프는 오늘 아침 자네의 어여쁜 여자 죄인[30]을 보면서 느꼈던 기쁨에 보답하기 위해서고, 다른 하나는 우정의 선물이네."

"아! 제가 늘 이렇게 몸이 불편하지 않다면," 포르뷔스가 말을 이었다. "그리고 선생님께서 당신의 '애인'을 보게 해주신다면, 저도 인물들이 본래의 고귀함을 간직하는, 높고 넓고 깊은 어떤 그림을 그릴 수 있을 것 같은데요."

"내 그림을 보여 달라고?"

노인이 매우 흥분하며 소리쳤다.

"안 돼, 안 돼, 나는 아직 그걸 더 완성해야 돼."

그가 말했다.

---

29 pipe: 큰 술통을 가리키는 옛 프랑스어. 한 파이프의 용량은 보통 수백 리터에 달한다.

30 이집트 성녀 마리아가 본래 매춘부였던 자신의 삶을 회개하고 오랜 고행을 한 사실을 암시하는 표현.

"어제 저녁 무렵에 나는 그 그림을 끝냈다고 생각했지. 그녀의 눈은 촉촉이 젖어 보였고, 살갗은 떨리고 있었어. 땋아 늘인 그녀의 머리칼은 흔들리고 있었지. 그녀는 숨을 쉬고 있었다네! 그런데 평평한 화포 위에 실물의 입체감과 둥근 형태를 구현할 방법을 찾아냈음에도 불구하고, 오늘 아침 나는 햇빛에서 내 실수를 알아보았어. 아! 이 영광스러운 결과에 이르기 위해, 나는 배색효과의 위대한 대가들을 철저히 연구했고, 빛의 왕인 티치아노의 그림들을 층층이 분석하고 뜯어보았지. 나는 그 최고의 화가처럼 먼저 부드럽고 농밀한 물감을 사용해서 밝은 색조로 내 그림의 윤곽을 잡았어. 음영이란 부수적인 효과일 뿐이기 때문이야. 이 점을 기억해 두게, 젊은 친구.

아무튼 내 그림으로 다시 돌아와서, 나는 투명성을 차츰차츰 감소시킨 반농담(反濃淡)과 글라시를 이용해 가장 강한 음영들을 만들어 냈고 그것들이 가장 짙은 검정색이 될 때까지 계속했지. 일반적인 화가들의 음영은 밝은 색조와는 다른 성질을 지니지만 난 그렇지 않아. 그들에게 음영은 나무색이거나 청동색이고, 음영 속의 살색을 제외한다면 그것이 그들에게 기대할 수 있는 전부이지. 그들은 인물의 위치가 바뀌면 음영이 있던 자리가 지워지지 않고 밝아지지도 않을 거라 생각하지.

하지만 나는 가장 저명한 화가들도 다수 빠졌던 이 결함을 피할 수 있었어. 내 작품에서는 가장 강하고 두터운 음영 속에서도 흰 빛이 드러나지! 세밀하게 재단한 선을 그렸기 때문에 정확하게 그렸다고 생각하는 수많은 무식한 인간들과 달리, 나는 내 인물의 외곽선을 무미건조하게 새기지 않았고 가장 세밀한 해부학적 세부까지 드러내 보이지 않았어. 왜냐하면 인간의 육체는 선으로 완성되지 않기 때문이야. 이 점에서, 조각가는 우리 화가들보다 진실에 더 가까이 갈 수 있지. 자연은 일련의 둥근 형태들을 내포하고 있고, 그것들은 서로가 서로를 에워싸고 있지. 엄격히 말해, 데생은 존재하지 않아!

웃지 말게, 젊은이! 이 말이 자네에겐 아무리 이상하게 들린다 해도, 며칠 후면 그 의미를 이해하게 될 거야. 선이란 인간이 대상에 대한 빛의 효과를 이해하기 위해 사용하는 수단일 뿐이야. 모든 것이 충만한 자연에는 선이 존재하지 않지. 사람들은 선으로 그리면서, 즉 사물들을 그것이 있는 배경으로부터 떼어내면서 형상을 만들지. 빛의 배분은 오로지 육체에 외양을 부여하는 데만 사용하고! 나 역시 밑그림을 그리는 것을 멈추지 않지만, 동시에 나는 그 윤곽선 위에 따뜻한 금색의 반농담 암영을 펴 바르네. 이 암영은 윤곽선이 배경과 만나는 자리를 정확히 지적할 수 없게 만들어줘. 가까이서 보면, 이 작업은 희미해 보이고 정확함이 부족해 보이지. 하지만 두 걸음만 떨어져서 보면, 모든 것이 확고해지고 멈춰서고 뚜렷이 드러나네. 육체는 움직이고, 형태는 도드라지며, 모든 것의 주위로 공기가 순환하는 것이 느껴지지.

그러나 난 아직 만족을 못하네. 내겐 의심이 남아 있어. 아마도 단 하나의 선으로 그려서는 안 되겠지. 우선 가장 밝게 드러나는 부분에 집중한 다음 가장 어두운 부분으로 옮겨가면서, 배경을 통해 형상을 표현하는 것이 더 나을 거야. 우주의 신성한 화가인 태양도 그렇게 하지 않는가? 오! 자연, 자연이여! 일찍이 그대를 원근법으로 간파한 이는 누구던가? 이봐, 너무 많은 지식은 무지와 마찬가지로 결국 부정(否定)에 이르게 되지. 나는 나의 작품을 의심하고 있어."

노인은 잠시 멈추더니 다시 말을 이었다.

"자, 젊은이, 내가 작업한 지도 십 년이 되었네. 하지만 자연과 투쟁하는 데 이 하찮은 십 년이 무슨 소용이겠는가? 우리는 피그말리온[31] 왕이 하나뿐인 그의 조각(彫刻)을 움직이게 하기 위해 썼던 시간에 대해 모르고 있지!"
노인은 깊은 몽상에 빠졌다. 그리고 눈을 고정한 채 기계적으로 칼을 놀렸다.

"저이는 지금 자신의 '영혼'과 대화하고 있네."
포르뷔스가 낮은 목소리로 말했다. 이 말에, 니콜라 푸생은 어떤 설명할 수 없는 예술가적 호기심의 힘에 사로잡히는 것을 느꼈다. 주의 깊으면서도 어리석은 듯한 이 백색 눈의 노인은 그에게 인간 이상의 존재로 보였고, 미지의 영역에 사는 환상적인 정령처럼 나타났다. 노인은 그의 영혼 속에서 수많은 혼

31 그리스 신화에 나오는 키프로스의 조각가. 키프로스 섬의 왕이었다는 설도 있다. 성적으로 문란한 키프로스의 여인들에게 혐오감을 느껴 여인들을 멀리한 채 오로지 조각에만 몰두했다. 그는 백설처럼 흰 상아로 실물과 같은 크기의 여인을 조각하는데, 그 조각상을 이상적인 여인 그 자체로 여기며 자신이 만든 조각상을 사랑하게 된다. 사랑의 여신 아프로디테에 의해 그 조각상은 실제의 여인이 되고, 피그말리온은 이 여인과 결혼하여 행복한 삶을 누리게 된다.

란스러운 생각들을 깨어나게 했다. 아마도 이런 종류의 매혹 같은 정신 현상을 정의하는 것은, 어떤 노래가 추방된 이의 가슴에 조국을 상기시키며 감정을 고조시키는 상태를 표현하는 것만큼이나 어려운 일일 것이다.
요컨대 그 혼란스러운 생각들이란, 가장 뛰어난 예술적 시도들에 대해 이 노인이 표현하려 하는 경멸, 그의 부, 그의 태도, 포르뷔스가 그에게 표하는 경외, 그리고 그토록 오랫동안 비밀을 간직해온 그 그림 같은 것들이었다. 특히, 젊은 푸생이 너무나 솔직하게 찬미했던 포르뷔스의 작품 〈동정녀〉의 모습에 비추어 본다면 인내의 작품이자 아마도 천재의 작품일 그 그림, 마뷔즈의 〈아담〉곁에서조차 여전히 아름다우며, 예술의 왕자 중 한 사람의 최상의 기법을 입증하는 그 그림. 이 노인 안의 모든 것은 인간의 한계를 넘어섰다.

이 초자연적인 존재를 보면서 젊은 니콜라 푸생의 풍부한 상상력이 분명하고 뚜렷하게 파악할 수 있었던 것은 예술가의 본성에 대한 완벽한 이미지였다. 너무나 많은 권능이 부여되고, 너무 자주 남용되는 광기의 본성 말이다. 자신의 환상 속에서 장난치는 하얀 날개의 소녀가 그것에서 서사시와 성(城)과 예술작품을 발견하는 동안, 광기의 본성은 차가운 이성과 부르주아들, 심지어 몇몇 애호가들조차도 아무것도 없는 무수한 자갈길로 데려가 버린다. 빈정거리면서도 선하고, 풍요로우면서도 가난한 그 본성! 이런 식으로, 이 노인은 열광적인 푸생에게 급작스러운 변신을 통해 예술 그 자체, 비밀과 격정과 몽상을 지닌 예술 그 자체가 되었다.

"그래, 친애하는 포르뷔스,"
프렌호퍼 노인이 다시 말을 꺼냈다.
"지금까지 나는 완전무결한 여자를 만나보지 못했네. 신체의 윤곽선이 완벽하게 아름답고 그 혈색은..." 그는 말을 멈추었다가 다시 이었다. "하지만 그녀는 어디에 살아 있단 말인가? 찾을 길 없는 고대인들의 그 비너스 말이야! 그토록 자주 탐구되었지만 겨우 몇 개의 흩어진 아름다움만 만나볼 수 있었던 그 비너스. 오! 한순간만이라도, 단 한 번만이라도 그 신성하고 충만한 실물을, 그 이상적 존재를 볼 수 있다면, 나의 재산 전부를 바칠 걸세. 천상의 아름다움이여, 나는 그대를 찾으러 그대의 고성소(古聖所)[32]까지 가리라. 오르페우스처럼 예술의 지옥에라도 내려가서 그대의 생명을 되살려 오리라."

"여기서 나가는 게 좋겠네."

포르뷔스가 푸생에게 말했다. "그는 더 이상 우리의 말을 듣지도 않고 우리를 보고 있지도 않아."

"그의 아틀리에로 가보죠."

경탄해 마지않는 젊은이가 말했다.

"아! 저 늙은 기병[33]이 입구를 잘 막아놓았을 거야. 그의 보물들은 너무도 잘 보관되어 있어서 우리가 그곳에 다다를 수는 없네. 난 자네에게 비밀을 습격하자는 의견이나 환상을 기대한 것은 아니네."

"비밀이 있긴 하군요."

"그래."

---

32 고성소(limbes): 예수 탄생 전에 죽은 착한 사람이나 세례를 받지 않은 어린아이의 영혼이 머무르는, 천국과 지옥 사이의 장소. (전자는 limbes des patriarches, 후자는 limbes des enfants이라고 함.)

33 reitre: 16세기 프랑스의 용병이었던 독일 기병을 일컫는 용어. 프렌호퍼가 독일 출신임을 암시함.

포르뷔스가 대답했다. “프렌호퍼 선생은 마뷔즈가 가르치고자 했던 유일한 제자이지. 프렌호퍼는 그의 친구이자 구원자이자 아버지가 되었고 마뷔즈의 열정을 충족시키는 데 그의 보물 대부분을 바쳤네. 그 대가로, 마뷔즈는 그에게 입체감의 비밀을 물려주었어. 인물들에게 그 놀라운 생명, 우리에게는 영원한 절망인 그 ‘자연의 꽃’을 부여할 수 있는 능력 말이야. 마뷔즈는 ‘그 입체감 기법’을 너무 잘 알고 있었는데, 어느 날엔가는 카를 5세[34]의 입장식 때 입고 갈 꽃무늬 다마스[35] 의복을 팔아 술을 마신 후 대신 꽃무늬를 그려 넣은 종이옷을 입고 그의 군주를 수행한 적도 있었지. 마뷔즈가 입은 옷의 독특한 화려함이 황제를 놀라게 했는데, 황제는 그 늙은 술꾼의 후원자에게 그 옷에 대해 칭찬하려 하다가 그것이 속임수라는 것을 알아채게 되었네.

프렌호퍼는 우리의 예술에 열정적으로 빠져 있는 인물이고, 다른 화가들보다 더 높이, 더 멀리 본다네. 그는 색채에 대해, 선의 절대적 진실성에 대해 깊이 성찰했지. 하지만 탐구가 지

34 신성로마제국의 황제 카를 5세(1500-1558)를 가리킨다.
35 시리아 다마스(damas)산 모직을 말한다.

나쳐서, 탐구의 대상 자체를 의심하게 되었어. 절망의 순간들에, 그는 데생이란 존재하지 않으며 선으로는 오로지 기하학적 형상들만 만들어낼 수 있다고 주장하기도 했지. 이것 또한 지나치게 절대적인 사고야. 왜냐하면 색채가 아닌 선과 어둠만으로도 형상을 만들어낼 수 있기 때문이지. 이는, 우리의 예술이 자연처럼 무한한 요소들로 이루어졌다는 것을 의미하네. 데생은 골격을 부여하고, 색채는 생명에 해당하지. 그런데 골격 없는 생명은 생명 없는 골격보다 더 불완전한 것이라네. 여하튼, 이 모든 것보다 더 진실한 무언가가 있네. 바로, 화가에게는 실천과 관찰이 전부라는 것이야. 또 추론과 시정(詩情)이 화필과 싸우면, 화가이자 광인인 저 어르신처럼 결국 의심에 이르게 된다는 것이지. 그는 위대한 화가이지만 불행하게도 부자로 태어났지. 그것이 그를 헤매게 했네. 그를 모방하지 말게! 작업하게! 화가는 손에 붓을 쥐고서만 성찰해야 하네."

"우린 깊이 성찰할 수 있을 겁니다!"

푸생은 더 이상 포르뷔스의 말을 듣지 않고 어떤 것도 의심하지 않으면서 소리쳤다. 포르뷔스는 이 미지의 젊은이의 열정에 미소를 지었다. 그리고 언제 자신을 보러 오라고 초대하면서 떠났다.

니콜라 푸생은 천천히 걸으며 아르프 거리로 돌아왔고, 자신이 묵고 있는 허름한 여인숙을 알아보지 못한 채 지나쳤다. 그는 불안한 마음으로 초라한 계단을 재빨리 올라가 어느 꼭대기 방에 다다랐다. 그 방은 옛 파리 집들의 소박하고 얄팍한 지붕인 목골 연와조[36] 지붕 아래 위치해 있었다. 그는 이 방의 단 하나뿐인 어두운 창문 옆에서 한 젊은 여인을 보았다. 그녀는 문소리를 듣고 사랑의 몸짓으로 갑자기 일어난 참이었다. 화가가 문의 걸쇠를 여는 방식을 듣고 그가 온 것을 알았기 때문이다.

"무슨 일이야?" 그녀가 그에게 말했다.

"난" 그는 기쁨으로 목이 메어 소리쳤다. "난 내가 화가임을 느꼈어! 지금까지 내 자신에 대해 의심했었는데, 오늘 아침에 난 내 자신을 믿게 되었어! 나는 위대한 인물이 될 수 있어! 자, 질레트, 우리는 부자가 될 거고 행복하게 될 거야! 이 붓 안에 황금이 있다고."

그러나 그는 갑자기 침묵했다. 자신의 원대한 희망과 보잘 것 없는 재산을 비교하자 그의 심각하고 기운찬 얼굴은 곧 기쁨

36 연와조: 기둥, 대들보 따위의 목재를 외부에 노출시키고 그 틈새를 석재, 흙벽, 벽돌 같은 것으로 메우는 건축방식.

의 표정을 잃어버렸다. 벽은 목탄 소묘로 채워진 값싼 종이들로 덮여 있었다. 그는 깨끗한 캔버스 몇 개조차 갖고 있지 않았다. 당시 물감은 매우 비쌌기 때문에 이 가난한 신사의 팔레트는 거의 빈 상태였다. 하지만 가난의 한가운데서도 그는 믿을 수 없이 풍요로운 마음과 한없이 넘쳐흐르는 재능을 지니고 있었고, 그 모든 걸 느끼고 있었다. 그는 한 친구에 이끌려 혹은 어쩌면 자신의 고유한 재능에 이끌려 파리에 왔고, 거기서 어느 날 갑자기 애인을 만났다.

그녀는 위대한 인물 곁에서 고통을 감내하는, 즉 가난한 이와 결혼해서 그의 변덕을 이해하려고 애쓰는 고귀하고 관대한 영혼의 소유자 중 하나였다. 그녀는 다른 이들이 뻔뻔하게 사치를 누리고 무관심으로 으스댈 때 굳센 의지로 가난과 사랑을 받아들였다. 질레트의 입술 위를 떠도는 미소는 다락방을 금빛으로 물들였고, 하늘의 광채와 경쟁하였다. 태양은 항상 빛나지는 않았지만, 그녀는 항상 거기에 있었다. 그녀는 그의 열정에 빠져들었고, 그의 행복과 그의 고통을 함께 나누었으며, 예술을 점령하기 전에 사랑이 넘칠 듯 솟아나는 천재를 달래주었다.

"들어봐 질레트, 이리 와봐."

순종적이고 명랑한 처녀는 화가의 무릎 위에 뛰어와 앉았다. 그녀는 매우 우아했고, 매우 아름다웠으며, 봄날처럼 예뻤다. 모든 여성적 풍요로움으로 치장하고 있었고, 그 모든 것을 아름다운 영혼의 불꽃으로 밝게 비추고 있었다.

"오, 하느님!" 그가 소리쳤다. "감히 그녀에게 말하지 못하겠습니다."

"비밀이 있구나!" 그녀가 대꾸했다. "아! 알고 싶어."

푸생은 꿈을 꾸듯 가만히 있었다.

"말해봐, 어서."

"질레트! 가엾은 사랑의 영혼!"

"오! 당신 나한테 뭔가를 원하는구나?"

"그래."

"당신 앞에서 다시 지난번처럼 포즈를 취하길 원한다면," 그녀가 조금 토라진 표정으로 말을 이었다. "나는 결코 동의하지 않겠어. 그런 순간에 자기 눈은 내게 아무 말도 하지 않으니까. 자기는 나를 생각하지 않고 그저 쳐다보기만 한단 말이야."

"그럼 자기는 내가 다른 여자를 그리는 걸 더 보고 싶어?"

"그럴지도." 그녀가 말했다. "그녀가 아주 못생겼다면."

"자," 푸생이 진지한 목소리로 다시 말했다. "만약 내 미래의 영광을 위해, 나를 위대한 화가로 만들기 위해 다른 화가의 집에 가서 포즈를 취해야 한다면 어떻게 하겠어?"

"자기 나를 시험하려 하는구나." 그녀가 말했다. "내가 가지 않을 거라는 걸 잘 알잖아."

푸생은 영혼이 감당하기엔 너무 강한 기쁨이나 고통에 굴복하는 사람처럼 그녀의 가슴에 머리를 묻었다.

"들어봐." 그녀는 푸생의 낡은 재킷 소매를 끌어당기며 말했다. "말했지만, 닉, 난 자기를 위해 내 목숨도 바칠 수 있어. 하지만 나는 자기에게 살아있는 동안 내 사랑을 결코 포기하지 않겠다는 약속도 했지."

"사랑을 포기하려고?" 푸생이 소리쳤다.

"내가 그런 식으로 다른 사람에게 나를 보여준다면, 자기는 나를 더 이상 사랑하지 않게 될 테니 말이야. 그리고 나 자신도 자기에게 어울리지 않는 사람이 될 거고. 자기의 변덕에 따르는 것은 자연스럽고 단순한 일 아니겠어? 내 의사와 상관없이 나는 행복하고, 자기의 소중한 뜻을 따른다는 사실이 자랑스럽기도 해. 하지만 다른 사람을 위해 그래야 하다니! 이런."

"용서해줘, 질레트," 화가는 그녀의 무릎에 몸을 던지며 말했다. "나는 명예를 얻기보다는 사랑받고 싶어. 나에게 자기는 재산이나 영광보다 더 아름다워. 가서 내 붓을 던져버리고 내 소묘들을 태워버려. 내가 잘못 생각했어. 나의 임무는 자기를 사랑하는 거야. 나는 화가가 아니야, 사랑하는 사람이지. 예술과 그 모든 비밀이여, 모두 사라져버리길!"

그녀는 그의 말에 감탄했고, 행복했고, 매혹 당했다. 그녀는 그의 위에 군림했고, 예술이 그녀를 위해 잊혀지고 한 조각의 향(香)처럼 그녀의 발아래 버려졌다는 것을 본능적으로 느꼈다.

"하지만 그는 한낱 늙은이일 뿐이야." 푸생이 다시 말했다. "그는 자기에게서 여자의 형상만 볼 거야. 자기는 너무나 완벽하니까."

"정말로 날 사랑해야 해!" 그녀는 소리쳤다. 그녀는 애인이 그녀를 위해 행한 모든 희생에 보답하기 위해 사랑의 불안을 떨쳐버릴 준비가 되어 있었다.

"하지만 그건 내가 파멸하는 길일 거야." 그녀가 다시 말을 이었다. "아! 자기를 위해 파멸하는 것. 그래, 그건 아주 근사한 일이지! 하지만 자기는 나를 잊을 거야. 오! 자기가 그렇게나

나쁜 생각을 했다니!"

"내가 그런 생각을 했어. 하지만 나는 자기를 사랑해." 그는 회개하듯이 말했다. "그래, 내가 비열한 놈이지."

"아르두앵 영감에게 상의해볼까?" 그녀가 말했다.

"오, 안돼! 이건 우리 둘만의 비밀이어야 해."

"좋아! 내가 갈게. 하지만 자기는 거기에 있지 마." 그녀가 말했다.

"단검을 갖고 문 앞에서 기다려줘. 그리고 내가 소리치면, 들어와서 그 화가를 죽여줘."

오로지 자신의 예술만 생각하면서, 푸생은 질레트를 감싸 안았다.

'그는 더 이상 나를 사랑하지 않아.'

질레트는 혼자 남게 되자 생각했다.

그녀는 벌써 자신의 결심을 후회했다. 하지만 그녀는 곧 후회보다 더 잔인한 공포에 사로잡혔다. 그녀는 마음속에서 자라나는 끔찍한 생각을 쫓아내려 애썼다. 그녀는 전보다 화가를 덜 존경하는 건 아닌지 의심했고, 이미 그를 전보다 덜 사랑하고 있다고 느꼈다.

2장

카트린 레스코

푸생과 포르뷔스가 만나고 삼 개월이 지난 후, 포르뷔스는 프렌호퍼 선생을 만나러 갔다. 노인은 그 무렵 깊고 무의식적인 의기소침에 사로잡혀 있었다. 그런 의기소침의 원인은 보통, 의사의 말을 믿을 수밖에 없다면, 소화불량이나 장 속의 가스, 열, 혹은 늑골 하부의 비만에 있고, 유심론자들에 따르면 우리의 정신 본성의 불완전함에 있다. 하지만 노인은 순전히 그리고 단순히 그의 신비로운 그림을 완성하는 데 지쳐 있었다. 그는 검은 가죽을 씌우고 조각 장식을 한 커다란 참나무 의자에 기운 없이 앉아 있었다. 우울한 표정에서 빠져나오지 않은 채, 그는 권태에 잠긴 사람의 시선으로 포르뷔스를 바라보았다.

"그래서요, 선생님," 포르뷔스가 말했다. "브뤼헤에 구하러 가셨던 군청색이 별로였나요? 새로운 흰색의 염료를 갤 수 없으셨나요? 기름의 질이 안 좋았나요? 아니면 화필이 다루기 힘든 건가요?"

"아아!" 노인이 소리쳤다. "나는 한동안 내 작품이 완성되었다고 믿었네. 하지만 나는 몇몇 세부에서 확실하게 오류를 범했지. 난 내 의혹을 밝힌 후에야 평온해질 수 있을 거네. 여행을 떠나기로 결심했어. 터키와 그리스, 아시아로 가서 모델을 찾고, 내 그림과 다양한 모델들을 비교해보려 하네. 어쩌면 나는 저곳에" 그가 만족스러운 미소를 흘리며 다시 말했다. "실물 그 자체를 갖고 있는 건지도 몰라. 가끔씩 나는 바람이 불어와 이 여자를 깨우면 그녀가 사라져버릴까 두렵기까지 하네."

그러고 나서 그는 마치 떠날 것처럼 갑자기 일어섰다.

"오!" 포르뷔스가 대답했다. "선생님께서 여행의 지출과 피로를 피할 수 있게 제가 마침 알맞은 시간에 왔네요."

"뭐라고?" 프렌호퍼가 놀라며 물었다.

"그 푸생이라는 젊은이가 한 여자를 사랑하고 있는데, 그녀는 어떤 결함도 없는 지고의 아름다움을 지니고 있답니다. 그런데 선생님, 그가 선생님께 그녀를 보여 드린다면, 적어도 저희에게 당신의 그림을 보게 해주셔야 합니다."

노인은 완벽히 멍해진 상태에서 꼼짝 않고 서 있었다.

"뭐라고!"

노인은 마침내 고통스럽게 울부짖었다.

"내 여자, 내 신부를 보여주라고? 내가 순결하게 내 행복을 덮어두었던 그 천을 찢어버리라고? 그건 끔찍한 매춘이나 다름없어! 내가 이 여자와 산 게 벌써 십 년이야. 그녀는 나의 것, 나만의 것이네. 나를 사랑하지. 내가 그녀에게 붓질 할 때마다 그녀가 내게 미소 지어주지 않던가? 그녀는 영혼을 지니고 있고, 그 영혼은 내가 부여한 것이네. 내가 아닌 다른 사람의 눈길이 그녀 위에 멈추면 그녀는 얼굴을 붉히지. 그녀를 보게 해달라니! 자신의 여인을 수치스럽게 만들 만큼 파렴치한 남편, 연인이 어디 있겠는가?

자네는 궁정을 위해 그림을 그릴 때 자네의 영혼을 전부 쏟아붓지 않지. 자네는 궁중 사람들에게 채색한 인형들만을 팔 뿐이니까. 내 그림은 단순한 그림이 아니야. 그건 하나의 감정이고, 열정이지! 그녀는 내 아틀리에에서 태어난 이상 그곳에서 동정을 지키며 머물러 있어야 하네. 옷을 입어야만 밖으로 나갈 수 있지. 시와 여자는 자신의 연인에게만 벗은 몸을 맡길 수 있네! 우리가 라파엘로의 인물들과 아리오스트의 안젤리카[37], 단테의 베아트리체를 실제로 가질 수 있겠는가? 아닐세! 우리는 그저 그 모델들의 형상만을 볼 뿐이지.
그렇지만 내가 저기에 빗장을 걸어놓은 작품은 우리 예술에서도 하나의 예외야. 이것은 그림이 아니라, 한 사람의 여자야! 나와 함께 울고, 웃고, 이야기하고, 생각하는 여자이지. 자네는 내가 십 년 동안의 행복을 외투를 내던지듯 갑자기 버리길 바라나? 갑자기 내가 아버지이자, 연인이자, 신이 되는 것을 그만두기를 바라나? 이 여자는 신의 피조물이 아니라, 나의 창조물이야. 자네의 젊은이를 오게 하게. 내가 그에게 내 보물을 주지. 르 코레주[38]와 미켈란젤로와 티치아노의 그림들을 주지. 먼지에 남은 그의 발자국에 입맞춤이라도 하겠네.

---

37 아리오스트는 이탈리아의 시인 루도비코 아리오스토(Ludovico Ariosto, 1474-1533)로, 르네상스 시기를 대표하는 시인이다. 오랫동안 페라라의 에스테 후작 집안에서 일하면서 대서사시 <광란의 오를란도 Orlando furioso>(1516)를 남겼다. 안젤리카는 이 작품의 주인공인 안젤리카 공주를 가리킨다.

38 르 코레주(Le Corrège 1489-1534): 이탈리아 화가 안토니오 알레그리(Antonio Allegri)를 가리킨다. 안토니오 알레그리는 르네상스 최성기를 대표하는 화가로, 명암법, 빛, 채색 등에 있어 이탈리아 르네상스 회화의 최고 단계에 도달했다고 평가받는다. 대표작으로 <성모승천>, <주피터와 이오> 등이 있다.

하지만 그를 나의 경쟁자로 삼으라고? 그건 나의 수치야! 하! 나는 화가이기보다는 연인이야. 그래, 내가 마지막 숨을 거둘 때 나의 '카트린'을 불태울 힘은 남아 있겠지. 하지만 그녀에게 한 남자, 젊은 남자, 화가의 시선을 견디게 하라고? 안 돼, 안 되지! 그녀를 시선으로 더럽힌 그 자를 난 다음날 바로 죽여버릴 걸세! 자네 또한 무릎 꿇고 그녀에게 경배하지 않으면, 내 친구여, 당장 자네를 죽여버리겠네! 내가 바보 같은 인간들의 차가운 시선과 어리석은 비판들에 나의 열렬한 사랑의 대상을 내맡기길 바라나? 아! 사랑은 신비로운 것이네, 마음속 깊은 곳에서만 생명을 얻지. 누구든 친구에게조차 '내가 사랑하는 여자가 바로 여기 있어!'라고 말한다면, 그 순간 모든 것을 잃게 되지."

노인은 다시 젊어진 것 같았다. 그의 눈은 광채와 생기를 띠었고, 창백한 두 뺨은 다홍색으로 물들었으며, 손은 떨리고 있었다. 그의 말들의 폭력적이고 격정적인 어조에 놀란 포르뷔스는 그 깊고도 낯선 감정에 어떻게 대응해야 할지 몰랐다. 프렌호퍼는 이성이 있는 걸까, 미친 걸까? 그는 예술가의 환상에 사로잡혀 있는 걸까? 아니면, 그가 표현하는 생각들은 오랫동안 위대한 작품을 창작할 때 우리 안에 생기는 그 설명하기 힘든 광신으로부터 오는 걸까? 우리가 언젠가 이 기이한 열정과 화해하는 것을 기대할 수 있을까?

이런 수많은 생각들에 사로잡힌 채 포르뷔스는 노인에게 말했다.

"하지만 이건 여자 대 여자의 문제 아닐까요? 푸생도 선생님의 시선에 자신의 애인을 내맡기지 않습니까?"

"애인이라니." 프렌호퍼가 대꾸했다. "그녀는 조만간 그를 배신할 거야. 내 애인은 언제나 내게 충실할 거고!"

"그렇다면 더 이상 얘기하지 마시죠." 포르뷔스가 다시 말했다.

"하지만 아시아에서든 어디든 제가 얘기하는 여인만큼 아름답고 완벽한 여자를 찾기 전에, 선생님은 아마 그림을 완성하지 못한 채 돌아가실 겁니다."

"오! 내 그림은 다 끝났어." 프렌호퍼가 말했다. "내 그림을 본 사람은 누구나, 커튼 아래 벨벳 침대 위에 한 여인이 누워 있는 것을 보고 있다고 여길 걸세. 그녀 곁에서는 황금으로 된 삼각 꽃병이 향기를 발산하고 있다고 느낄 거고. 자네는 커튼을 고정하는 줄의 술 장식을 잡아보고 싶은 유혹에 빠질 걸세. 카트린의 가슴이 숨을 쉬며 움직이고 있는 것을 보는 듯할 거야. 하지만 나는 확신을 갖고 싶은 거라네...”

“그럼 아시아로 가세요.” 포르뷔스는 프렌호퍼의 눈에 망설임 같은 것이 있는 걸 알아차리고 대꾸했다. 그리고 방문 쪽으로 몇 걸음 움직였다.

그때, 질레트와 니콜라 푸생은 프렌호퍼의 집 근처에 도착해 있었다. 젊은 여인은 입구에 다다르자, 화가의 팔에서 빠져나와 마치 어떤 갑작스러운 예감에 사로잡힌 것처럼 뒤로 물러섰다.

“내가 여기에 무얼 하러 온 거지?”

그녀는 애인에게 시선을 고정한 채 심각한 목소리로 물었다.

“질레트, 나는 자기를 나의 애인으로 삼았고 따라서 자기에게 전적으로 순종하고 싶어. 자기는 나의 신앙이고 나의 영예야. 집으로 돌아가, 그러면 아마도 나는 더 행복해질 거야, 자기가 만일....”

“자기가 그렇게 말한다고 내가 내 뜻대로 행동할 수 있을까?

오! 아니지, 나는 그저 어린아이에 불과해. 가자.” 그녀는 격렬히 노력하는 듯한 태도로 덧붙였다. “우리의 사랑이 시든다 해도, 그리고 내 가슴에 긴 후회를 남긴다 해도, 결국 자기의 명성이 내가 자기의 욕구에 복종한 대가가 되지 않겠어? 들어가자, 자기의 팔레트에서 영원히 추억으로 머무는 것보다는, 그게 더 살아 있는 게 될 테니까.”

두 연인은 그 집의 문을 열다가 포르뷔스와 마주쳤다. 포르뷔스는 눈에 눈물이 가득 고인 질레트의 아름다움에 놀랐지만, 온몸을 떨고 있는 그녀를 붙잡아 노인 앞에 데리고 갔다.

“자” 그가 말했다. “이 여자는 세상의 모든 걸작들에 비할 만하지 않나요?”

프렌호퍼는 소스라치게 놀랐다. 질레트는 강도들에게 유괴당해 노예 상인 앞에 끌려온 순진하고 겁먹은 조지아 처녀처럼, 순수하고 꾸밈없는 태도로 거기에 서 있었다. 수줍어하는 듯한 홍조가 그녀의 얼굴을 물들이고 있었다. 그녀는 눈을 내리깔았고, 힘이 다 빠져나간 것처럼 두 손을 허리 곁에 늘어뜨렸다. 그리고 그녀의 수치심에 가해진 폭력에 저항하는 듯 눈물을 흘리고 있었다.

그 순간, 푸생은 이 아름다운 보물을 그의 창고에서 꺼낸 것에 절망했고, 스스로를 저주했다. 그는 예술가보다는 연인이 되었다. 그리고 젊음을 되찾은 노인의 눈을 보자 숱한 양심의 가책으로 심장에 고통을 느꼈다. 노인의 눈이 화가의 습관으로 이 젊은 여인의 옷을 벗기고 가장 은밀한 형태까지 읽어냈기 때문이다. 그는 진정한 사랑으로 인한 가혹한 질투심에 다시 사로잡혔다.

"질레트, 떠나자!"

그가 소리 질렀다.

이 강한 어조에, 이 외침에, 그의 애인은 기쁨으로 그를 향해 눈을 들었고, 그를 바라보았고, 그의 팔에 뛰어들었다.

"아! 자기 정말 나를 사랑하는구나." 그녀가 울음을 터뜨리며 대꾸했다. 그녀는 애써 고통을 잠재웠었지만, 행복을 감출 힘은 부족했다.

"오! 잠시만 그녀를 내게 맡겨두게." 늙은 화가가 말했다. "자네들은 그녀와 나의 카트린을 비교해 볼 수 있을 거야. 그래, 내가 승낙하지."

프렌호퍼의 외침에는 여전히 사랑이 담겨 있었다. 그는 그의 가상의 여인에게 환심을 얻으려는 듯 보였고, 그의 동정녀의 아름다움이 실제 젊은 여인의 아름다움에 대해 거둘 승리를 미리 즐기는 것처럼 보였다.

"선생님이 말을 취소하도록 내버려두지 말게." 포르뷔스가 푸생의 어깨를 두드리며 소리쳤다. "사랑의 열매는 빨리 없어지지만, 예술의 열매는 불멸한다네."

"저 분에게" 질레트가 푸생과 포르뷔스를 주의 깊게 쳐다보며 말했다. "나는, 그러니까 여자의 형상 이상은 아닌 거죠?" 그녀는 자신에 차서 머리를 들었다. 하지만 프렌호퍼에게 잠깐 번득이는 시선을 던진 후, 그녀는 그녀의 애인이 또다시 전에 조르조네의 그림이라고 착각했던 초상화를 응시하는 데 열중하고 있는 모습을 발견했다.

"아! 올라가죠!" 그녀가 말했다. "그는 나를 한 번도 저런 식으로 쳐다보지 않았어요."

"영감," 질레트의 목소리로 인해 응시에서 깨어난 푸생이 다시 말했다. "이 칼을 잘 봐. 이 젊은 여인이 첫 마디 비명을 내지르는 순간, 이걸 당신 심장에 꽂을 거야. 당신 집에 불을 지를 거고 아무도 못 나오게 할 거야. 알겠어?"

니콜라 푸생의 표정은 어두웠다. 그의 끔찍한 말과 그의 태도, 그의 몸짓은 질레트에게 위안이 되었다. 그녀는 그가 그림과 그의 영광스러운 미래를 위해 자신을 희생시킨 것을 거의 다 용서했다.

포르뷔스와 푸생은 침묵 속에서 서로를 바라보며 아틀리에의 문 앞에 머물렀다. 먼저, '이집트 여인 마리아'의 화가가 몇 마디 탄식을 내질렀다.

"아! 그녀가 옷을 벗고 있어! 그가 그녀에게 밝은 곳으로 가라 하는군! 그가 그녀를 자신의 그림과 비교하고 있네!"

하지만 그는 깊은 슬픔에 빠진 푸생의 얼굴을 보고 이내 입을 다물었다. 비록 늙은 화가들이 예술의 면전에서 아주 작은 도덕적 거리낌도 갖지 않는다 해도, 그는 그들이 그 정도로 순진하고 귀여운 이들이라 여기며 그들을 찬양했었다. 젊은이는 단검 손잡이에 손을 얹고 문에 바싹 귀를 붙인 채 있었다. 어둠 속에 서 있는 두 사람의 모습은 흡사 폭군을 덮칠 시간을 기다리고 있는 두 명의 음모자 같아 보였다.

"들어오게, 들어와."

노인이 기쁨으로 빛난 얼굴로 그들에게 말했다. "내 작품은 완벽하네. 나는 이제 자랑스럽게 그걸 보여줄 수 있지. 그 어떤 화가도, 붓도, 색깔도, 화폭도, 빛도 '카트린 레스코'와 경쟁할 수 없을 걸세."

강렬한 호기심에 사로잡힌 포르뷔스와 푸생은 먼지 덮인 커다란 아틀리에의 한가운데로 달려갔다. 그곳엔 모든 것이 무질서하게 어질러져 있었고, 벽의 여기저기에 그림들이 걸려 있었다. 그들은 맨 먼저 실물 크기의 한 반라 여인 그림 앞에 멈춰 섰고, 경탄하며 그 그림에 사로잡혔다.

"오! 그것에 신경쓰지 말게." 프렌호퍼가 말했다. "그건 내가 포즈를 연구하기 위해 대충 그린 서투른 그림이야. 그 그림은 아무 가치도 없어. 이것도 나의 망친 그림들이네." 그는 그들 주위의 벽에 걸린 매력적인 작품들을 보여주면서 말을 이었다. 그의 말에, 이런 작품들을 멸시하는 말에 어안이 벙벙해진 포르뷔스와 푸생은 그가 말한 초상화를 찾았지만 끝내 발견하지 못했다.

"자! 여기 그 그림이 있네!"

헝클어진 머리에 얼굴은 초자연적인 흥분으로 불타오른 노인이 말했다. 그의 눈은 반짝반짝 빛났고 사랑에 취한 젊은이처럼 숨을 헐떡거렸다.

"아!" 그가 소리쳤다. "자네들이 이토록 완벽한 것을 예상하지는 못했겠지. 자네들은 여자 앞에 있으면서 그녀의 그림을 찾고 있어. 이 그림에는 너무나 깊은 공간이 있고 그 안의 공기도 너무 진짜 같아서, 자네들은 우리를 둘러싸고 있는 공기와 그것을 구별할 수 없을 거야. 예술이 어디에 있는가? 없어졌지, 사라졌어! 자, 이것은 여자의 형체 그 자체라네. 육체의 경계를 이루는 실물선과 색깔을 내가 잘 포착하지 않았나? 물속에 있는 물고기처럼 대기 속에 있는 물체들이 우리에게 나타내는 것이 바로 이런 현상 아니겠는가? 윤곽선이 배경에서 얼마나 잘 도드라져 보이는지 보게. 이 등 위에 손을 얹을 수 있을 것 같지 않은가? 게다가, 나는 칠 년 동안 햇빛과 물체의 결합 효과를 연구했었지. 이 머리카락들에 빛이 넘쳐흐르고 있지 않은가? 내 기억에, 그녀는 분명 숨을 쉬었어! 이 가슴이 보이나? 아! 누가 무릎 꿇고 그것에 경배하지 않을 수 있겠는가? 살결이 꿈틀거리고 있어. 그녀는 곧 일어날 걸세, 기다려보게."

“뭔가가 보이십니까?”

푸생이 포르뷔스에게 물었다.

“아니. 자네는?”

“아무것도요.”

두 화가는 노인이 도취 상태에 빠져 있도록 내버려두었다. 그리고 그가 보여주는 그림에 빛이 수직으로 떨어지면서 모든 효과를 무력화시키는 건 아닌지 살펴보았다. 그들은 오른쪽, 왼쪽, 정면으로 몸을 옮기면서, 차례로 몸을 숙였다 일으켜 세우면서 그림을 검토했다.

“그래, 그래, 이건 분명 그림이야.” 그들의 세심한 검토를 오해한 프렌호퍼가 말했다. “자, 이건 액자이고 이젤이지. 저건 내 물감이고 내 화필들이야.”

그는 큰 붓 하나를 재빨리 쥐어 천진난만한 동작으로 그들에게 보여주었다.

“이 늙은 독일 보병[39]이 우리를 농락하고 있군요.” 푸생이 그 그

39 lansquenet: 15-16세기에 프랑스에 온 독일 용병. 프렌호퍼를 가리킴.

림이라 일컬어지는 것 앞으로 돌아오면서 말했다.

"저는 그저 수많은 이상한 선들에 짓눌리고 혼란스럽게 쌓인 색깔들만 보이는데요. 그것들이 성벽 같은 그림을 만들고 있고요."

"우리가 틀렸어, 잘 보게." 포르뷔스가 말했다.

가까이 다가가자, 그들은 그림의 한 구석에서 벗은 발의 끝부분을 보았다. 그 발은 색깔과 색조, 불분명한 농담(濃淡)들의 카오스로부터, 즉 형태 없는 안개 같은 것으로부터 삐져나와 있었다. 그런데 그것은 매력적인 발이었고, 살아 있는 발이었다! 그들은 그 믿을 수 없는 것으로부터, 느리고 점진적인 파괴로부터 빠져나온 이 조각 앞에서 감탄으로 거의 몸이 굳어버렸다. 이 발은 마치 불탄 도시의 잔해들 가운데서 솟아나온 파로스[40]산(産) 대리석의 비너스 토르소처럼 거기에 그렇게 나타났다.

"저 아래 여자가 있네!"

포르뷔스는 푸생에게 늙은 화가가 자신의 그림을 완성해가는

40 Paros: 에게 해의 섬. 흰색 대리석의 채석장으로 유명하다.

것이라 믿으며 계속해서 겹쳐놓았던 다양한 색들의 층(層)을 가리키면서 소리쳤다. 두 화가는 무의식적으로 프렌호퍼를 향해 몸을 돌렸고, 그가 겪고 있는 도취 상태를 모호하게나마 납득하기 시작했다.

"그는 진심이야." 포르뷔스가 말했다.

"그래, 친구," 노인이 도취상태에서 깨어나면서 말했다.

"신념, 예술에는 신념이 필요하지. 이와 같은 창조물을 만들어 내기 위해선 오랫동안 작품과 함께 살아야만 하네. 이 몇 개의 음영들을 위해서도 나는 많은 작업을 해야 했지. 자, 여기 뺨 위와 눈 아래 사이에 엷고 희미한 빛이 있네. 자네들이 이것을 자연에서 관찰하면 거의 표현할 수 없는 것으로 보일 걸세. 내가 이 효과를 재생하기 위해 믿을 수 없는 고통을 치루었을 거라 생각되지 않나?

친애하는 포르뷔스, 내 작업을 주의 깊게 살펴보게. 모사(模寫)와 윤곽선을 처리하는 방식에 대해 내가 자네에게 얘기했던 것을 더 잘 이해할 수 있을 걸세. 가슴의 빛을 보게. 어떻게 내가 아주 두텁게 칠한 일련의 터치들과 '하이라이트'들로 진정한 빛을 획득하였는지, 또 어떻게 그 빛을 밝은 색조의 반짝이는 흰색과 결합시킬 수 있었는지 보게나. 그리고 어떻게 상반되는 작업을 통해 돌출 부분과 물감의 우둘투둘함을 지우면서 반-농담에 잠긴 내 인물의 윤곽을 공들여 다듬었는지, 그 결과 어떻게 데생의 개념과 인위적 수단의 개념까지 없애버리고 인물에게 실물 그 자체의 모습과 둥근 형태를 줄 수 있었는지 살펴보게.

가까이 와봐, 그래야 이 작업을 더 잘 볼 수 있어. 멀리서 보면, 사라져버리지. 어때? 내가 보기엔, 여기서 작업이 아주 잘 드러나는군." 그는 큰 붓의 끝으로 두 화가에게 밝은 색 물감 부분을 가리켰다. 포르뷔스는 푸생을 향해 몸을 돌리면서 노인의 어깨를 두드렸다.

"그가 정말로 위대한 화가라는 걸 알겠는가?" 그가 말했다.

"그는 화가라기보다는 시인이네요." 푸생이 엄숙하게 대답했다.

"여기서" 포르뷔스가 그림을 만지며 말을 이었다. "지상에서의 우리 예술이 끝나는군."

"그리고 여기서, 그는 천상 세계로 사라질 거고요." 푸생이 말했다.

"이 그림 하나에 얼마나 큰 기쁨이 들어 있는가!" 포르뷔스가 소리쳤다.

생각에 몰두한 노인은 그들의 얘기를 듣지 않았고, 그 상상의 여인을 향해 미소 짓고 있었다.

"하지만, 조만간 그는 그의 그림에 아무것도 없다는 것을 깨닫게 되겠죠."

푸생이 소리쳤다.

"내 그림에 아무것도 없다고?"

프렌호퍼가 두 화가와 그가 그림이라 주장하는 것을 번갈아 쳐다보며 말했다.

"자네, 무슨 짓을 한 거야!" 포르뷔스가 푸생에게 소리쳤다.

노인은 젊은이의 팔을 힘껏 붙잡으며 말했다.

"너는 아무 것도 몰라, 버릇없는 놈! 강도 같은 놈! 하찮은 것! 상스러운 놈! 넌 도대체 왜 여기 올라온 거야? 여보게 포르뷔스," 그가 화가에게 몸을 돌리며 말했다. "자네도 나를 놀릴 건가? 대답해봐! 나는 자네의 친구야, 말해보게, 그러니까 내가 내 그림을 망친 건가?"

포르뷔스는 망설이며 감히 말을 꺼내지 못했다. 그러나 노인의 창백한 얼굴에 어린 불안이 너무도 잔인해 보여, 끝내 그림을 가리키며 말했다.

"보세요!"

프렌호퍼는 잠시 동안 그의 그림을 응시한 후 비틀거렸다.

"아무것도, 아무것도 없어! 십 년이나 작업했는데!"

그는 주저앉아 울었다.

"그래, 나는 바보고, 미친놈이야! 소질도 없고, 능력도 없어. 아무것도 할 줄 모르는 돈 많은 인간일 뿐이지! 난 결국 아무것도 만들어내지 못할 거야!"

그는 눈물을 글썽이며 자신의 그림을 응시했다. 그러다, 갑자기 거만하게 다시 일어나더니 두 화가에게 번득이는 시선을 던졌다.

"그리스도의 피와 몸과 머리를 걸고 말하는데, 너희는 질투에 찬 인간들이야. 내가 그녀의 그림을 망쳤다고 믿게 만들면서, 내게서 그 그림을 훔쳐가려 하는 거지! 난, 난 그녀를 보고 있어!” 그가 소리쳤다. “그녀는 완벽하게 아름다워.”
그때, 푸생은 구석에서 잊혀 있던 질레트의 울음소리를 들었다.
“무슨 일이야, 나의 천사?”
갑작스레 다시 사랑에 빠진 화가가 그녀에게 물었다.
“나를 죽여줘!” 그녀가 말했다. “내가 아직도 당신을 사랑한다면 나는 파렴치한 년일 거야. 왜냐하면 난 당신을 경멸하니까. 당신은 나의 인생이야. 하지만 당신은 이제 내게 혐오감을 일으키지. 이미 난 당신을 증오하고 있는 것 같아.”[41]

푸생이 질레트의 얘기를 듣고 있는 동안 프렌호퍼는 그의 ‘카트린’을 녹색 서지천으로 다시 덮었다. 마치 교활한 강도들이 곁에 있다고 믿으면서 서랍을 닫는 보석 상인처럼, 신중하고 침착한 태도였다. 그는 두 화가에게 경멸과 의심으로 가득 찬 몹시 음험한 시선을 던졌다. 그는 발작적이고 민첩한 동작으로 그들을 아틀리에의 문 쪽으로 조용히 데려갔다. 그리고 집

41 1831년에 발표된 이 작품의 첫 번째 버전(『프렌호퍼 선생』)은 여기서 끝을 맺는다.

문턱에서 그들에게 말했다.

"잘 가게, 젊은 친구들."

이 작별 인사가 두 화가를 얼어붙게 만들었다.

다음 날, 포르뷔스는 불길한 마음에 프렌호퍼를 다시 보러 왔다. 그리고 밤사이 그가 그의 그림들을 불태워버린 후 죽었다는 것을 알게 되었다.

해설

절대 회화 혹은 살아 있는 그림을 향한 꿈

해설

소설 『미지의 걸작』과 영화 〈누드 모델〉
- 절대 회화 혹은 살아 있는 그림을 향한 꿈

김호영

모방에서 표현으로 - 비구상 회화의 전조

발자크Balzac의 소설 『미지의 걸작Le chef d'oeuvre inconnu』은 회화에 대한 그의 철학적 사유를 소설로 풀어낸 것이라 할 수 있다. 회화란 무엇인가에 대한 질문에서부터 시작해 그에 관한 개인적 견해와 전망을 내놓으며 끝낸다고 해도 과언이 아니다. 소설은 발자크의 작가 활동 초기인 1831년에 '환상적 이야기conte fantastique'라는 부제를 달고 잡지 『라르티스트

L'Ariste』에 처음 발표되었다. 그 후 1837년 내용을 보완해 재출간되었고, 1845년에는 대작 『인간 희극La Comédie humaine』에 '철학적 연구études philosophiques'라는 주제로 분류되어 실린다. 그러니까, 처음 집필할 당시에는 작가 스스로 '환상적' 주제에 걸맞은 작품이라 간주했지만, 훗날 되돌아보면서 회화에 대한 자신의 철학적 혹은 미학적 사유를 피력한 작품이라 판단한 것이다. 어쨌거나 당시 회화 영역에서 전개되던 치열한 미학적 논쟁들이 젊은 작가 발자크의 시선을 사로잡았고, 그는 픽션이라는 수단을 통해 그 논쟁들에 대한 자신의 생각을 표명한다.
발자크의 입장은 비교적 명확하다. 그는 자신이 창조한 허구의 인물 프렌호퍼를 통해 작품 내내 다소 장황하리만큼 긴 미술론 또는 회화론을 늘어놓는데, 거기에 그의 생각이 거의 다 담겨 있다고 보면 된다. 무엇보다, 그의 생각은 프렌호퍼의 이 한 마디에 집약된다.

> "예술의 임무는 자연을 모방하는 것이 아니라 표현하는 것이네!"
> (본문 82쪽)

소설의 초반, 기이한 인상의 노(老)화가 프렌호퍼는 침체에 빠진 중년 화가 포르뷔스가 자신의 얘기를 이해하지 못하고 이견을 내놓자, 거칠게 자르며 이렇게 외친다. 그리고 화가란 "비루한 모방자가 아니라 시인"이어야 한다고 덧붙인다.

요컨대, 프렌호퍼는 포르뷔스를 위시한 당대 주류 화가들이 자연과 대상의 완벽한 재현에만 매몰되어 있는 현실에 개탄한다. 이야기의 시대 배경 상 17세기 고전주의자들로 분류될 수 있는 이들은 그의 표현에 따르면 "실물을 그대로 모사하는" 것만이, 즉 "형상을 정확히 묘사하고 해부학 법칙에 따라 각각의 것을 제자리에 놓는" 것만이 훌륭한 그림을 그릴 수 있는 방식이라 생각한다. 그러나 프렌호퍼가 볼 때 그러한 그림은 "단 하나의 면만을 가진 실루엣이고, 절단된 외양이며, 되돌려 볼 수도, 위치를 바꿀 수도 없는 이미지일 뿐"이다. 거기에는 공간도 깊이도 결여되어 있으며, 인물 주변으로 흐르는 공기를 느낄 수 없고 인물의 내면에서 우러나오는 생명력도 찾아볼 수 없다. 대상의 내적 의미나 숨겨진 비밀들을 드러낼 수 없는, 단지 형태의 완벽한 재현이라는 고전주의 강령에 충실한 모사물일 뿐인 것이다. 진정한 예술, 진정한 그림은 대상의 내부로, 형태의 이면으로 깊이 침잠해 들어가야 한다. 사실적 재현이라는 강박에서 벗어나 대상의 내적 발화들을 포착해야 하고, "무엇인지는 모르지만 아마도 영혼인 그것, 육체 위를 구름처럼 떠다니는 그것을 표현해야" 한다.

아울러, 대상의 외관을 모사하는 데 머물지 않고 그것의 내적 의미와 생명력, 영혼을 드러내기 위해서는 '선', 즉 데생보다 '색채'가 더 중요하다. 발자크는 17세기를 배경으로 하는 이 소설에서, 프렌호퍼의 입을 빌어 당대 뜨겁게 달아올랐던 '색채 논쟁'과 관련해 데생 옹호자들(푸생 파)보다 색채 옹호자들(루벤스 파)의 손을 들어준다. 그보다 수십 년 앞서 칸트Kant가 『판단력 비판』(1790)에서, 회화의 본질은 '선묘(線描)'이고 '색채'는 감각을 위해 대상을 생기 있게 만들어줄 뿐 진정한 아름다움과는 거리가 멀다고 확언한 것과 정반대되는 입장이다. 마치 색채주의자 로제 드 필Roger de Pile의 주장을 복기하듯, 발자크-프렌호퍼는 회화에서 데생이란 언어에서의 문법과 마찬가지로 화가가 익혀야 할 기본 기술이며, 화가는 색의 사용을 통해서만 회화를 '시(詩)'의 경지로, 진정한 예술의 경지로 끌어올릴 수 있다고 강조한다. 소설의 중반,

프렌호퍼는 두 화가 포르뷔스와 푸생을 자신의 집에 초대한 후 이렇게 얘기한다.

> "엄격히 말해, 데생은 존재하지 않아! [...] 선이란 인간이 대상에 대한 빛의 효과를 이해하기 위해 사용하는 수단일 뿐이야. 모든 것이 충만한 자연에는 선이 존재하지 않지."(본문 99쪽)

그에 따르면, 화가는 데생을 통해 윤곽선을 그리는 작업과 함께 색을 통해 음영과 농담, 입체감을 만들어내는 작업을 병행해야만 대상의 진정한 실체를 구현해낼 수 있다. 그래야만 그림 안에서 "육체가 움직이고, 형태는 도드라지며, 모든 것의 주위로 공기가 순환하는 것이 느껴지도록" 만들 수 있다. 정작 그의 그림은 온통 혼란스러운 선들과 색들로 뒤덮여 그 실체를 확인할 수 없었지만, 그의 작업에서 중요한 것은 분명히 데생이 아니라 '빛'과 '색'에 대한 탐구였다. 소설의 후반, 프렌호퍼는 마침내 베일에 싸여 있던 그의 미지의 걸작을 보게 된 두 화가에게 그가 수행한 작업에 대해 다음과 같이 구체적으로 설명한다.

“가슴의 빛을 보게. 어떻게 내가 아주 두텁게 칠한 일련의 터치들과 ‘하이라이트’들로 진정한 빛을 획득하였는지, 또 어떻게 그 빛을 밝은 색조의 반짝이는 흰색과 결합시킬 수 있었는지 보게나. 그리고 어떻게 상반되는 작업을 통해 돌출 부분과 물감의 우둘투둘함을 지우면서 반-농담에 잠긴 내 인물의 윤곽을 공들여 다듬었는지, 그 결과 어떻게 데생의 개념과 인위적 수단의 개념까지 없애버리고 인물에게 실물 그 자체의 모습과 둥근 형태를 줄 수 있었는지 살펴보게.”(본문 128쪽)

이러한 프렌호퍼의 언술에 나타난 사유는 사실 소설의 배경을 이루는 17세기를 넘어선다. 고전주의뿐 아니라 사실주의의 강령들로부터 완전히 벗어나고자 했던 19세기 회화의 한 입장을 담고 있기 때문이다. 놀랍게도, 그것은 작품이 집필되고 출간된 19세기 전반이 아니라 그로부터 한참 후에 등장하는 인상주의의 입장과 매우 유사하다. 잘 알려진 것처럼, ‘빛’과 ‘색’의 탐구는 모네와 세잔을 비롯한 인상주의 화가들의 가장 중요한 과업이었다.

그런데 공교롭게도 두 화가의 눈에 보이는 프렌호퍼의 작품은

"수많은 이상한 선들에 짓눌리고 혼란스럽게 쌓인 색들"의 집적물일 뿐이다. 한 구석에 삐져나온 맨발의 형상을 제외하고는, "색깔과 색조, 불분명한 농담(濃淡)들의 카오스"와도 같다. 푸생은 그 자리에서 그림에 아무 것도 들어 있지 않다고 단언하고, 포르뷔스는 색들의 집적물 밑에 여자의 형상이 있을 것이라 추측한다. 어찌 됐든, 두 화가의 눈에 그 그림은 완벽한 실패작이다. 광기에 빠진 한 노화가가 자신의 천재적 재능을 헛되이 낭비해버린 참담한 결과물인 것이다. 두 사람의 싸늘한 반응에 분노하던 프렌호퍼는 이내 그들의 의견을 받아들이고 자신의 무능력을 자책한다.

하지만 서둘러 그들을 문밖으로 내몰면서, 그는 그들의 등 뒤에 "경멸과 의심으로 가득 찬 아주 음험한 시선"을 던진다. 그러고는 밤사이 작품을 태워버리고 스스로 목숨을 끊는다. 이전까지의 길고 장황한 서술에 비해 상대적으로 황급히 마무리되는 소설의 결말은 어쩌면 발자크가 미처 다 말하지 못했던, 그 자신도 확신을 갖지 못해 감히 주장하지 못했던 어떤 견해를 가리키고 있는지도 모른다. 모방에서 표현으로, 형태의 완벽한 재현에서 대상의 본질의 구현으로 넘어가는 작업은 궁

극적으로 '재현의 포기'라는 결론에 이를 수밖에 없다는 것. 또, 대상에 내재된 보편적 진실과 의미의 근원을 탐구하고 드러내는 작업은 결국 "탐구의 대상 자체를 의심"하게 되면서 오히려 대상에 대한 화가의 가장 '주관적이고 특수한 관점'을 드러내는 작업이 될 수 있다는 것.
다시 말해, 발자크는 『미지의 걸작』을 통해 다가올 미래에 등장할 새로운 회화적 사유를 예견하고 있는지도 모른다. 대상의 가장 근원적인 본질을 포착해서 표현하려는 작업들은 결국 재현과 구상을 버리고 비재현적이고 비구상적인 회화, 즉 추상적 회화로 나아가게 될 것이라는 전망을 숨기지 않고 드러내는 것이다.

재현에서 실재로 - 절대 회화를 향한 꿈 혹은 강박

발자크는 『미지의 걸작』에서 분명 시대를 앞서간 사유를 보여준다. 첫 출간 당시 불과 서른두 살이었던 젊은 소설가가 문학이 아닌 회화와 관련해 당대 첨예하게 대립되던 사고들을 담아내고 나아가 미래에 대한 전망까지 보여준 것은 그 자체로 하나의 놀라운 사건이 아닐 수 없다. 수많은 후대 예술가들과 지식인들이 이 짧은 소설로 인해 커다란 충격을 받거나 특별한 영감을 얻은 것도 지극히 당연해 보인다.

그런데 이 작품이 일군의 예술가들과 지식인들의 열광을 넘어, 그리고 "문자로 묘사된 최초의 추상화" 혹은 "추상 회화의 문학적 기원"이라는 평가를 넘어, 수많은 독자들을 사로잡고 매혹시킨 데에는 또 다른 중요한 이유가 있다. 그것은 바로, '절대 회화' 혹은 '살아 있는 그림'이라는 인류의 아주 오래된 꿈에 대한 이야기를 담고 있기 때문이다. 살아 있는 예술작품, 즉 실재에 대한 재현이 아니라 실재 그 자체로서 우리와 함께 현존하는 예술작품은 사실 인류가 선사시대에 동굴벽화를 그리면서부터 꾸어 왔던 꿈이다. 실재와 너무나 똑같아서, 혹은 실재보다 더 강렬한 진실성과 존재감을 담고 있어서 그 자체로 독자적인 생명력을 갖는 예술작품에 대한 꿈 또는 상상. 소설은 이 보편적이면서도 비현실적인 꿈에 대한 추구를 짧은 분량에도 불구하고 드라마틱한 서사로 풀어낸다.

소설 속에서 절대 회화의 꿈을 실현하고자 하는 이는 물론 화가 프렌호퍼다. 궁정화가 포르뷔스도 인정할 만큼 당대 최고의 천재 중 한 사람인 프렌호퍼는 절대적으로 완벽하고 아름다운 회화, 나아가 생명과 영혼이 담겨 있는 살아 있는 그림을 꿈꾼다. 그는 소설 속에서 그러한 그림을 만들어낼 수 있는 기법을 직접 보여주기도 하지만, 그보다는 언어를 통해 절대 회화에 이르는 길에 대해 장황하게 설명한다.

그의 얘기들을 간추리면 이렇다. 화가는 무엇보다 "사물과 존재의 정신, 영혼, 인상을 포착해야" 한다. 대상의 외양을 있는 그대로 재현하는 데 만족하지 않고 "형태의 내부"까지 파고 들어가야 하며, 그로부터 대상의 진정한 의미를 드러내어야 한다. 형태란 "그림 안에 있는 것이지만 동시에 우리 안에 있는 것"이고 우리가 "관념과 감각을 서로 주고받기 위해" 사용하는 매개물이기 때문이다. 또한 화가는 대상의 내적 진실과 참된 아름다움을 표현하기 위해 필연적으로 끝없는 인내와 투쟁의 시간을 거쳐야만 한다. "아름다움의 시간을 기다려야만 하고, 그것을 탐색하고 조여야 하며, 그것이 스스로를 드러내도록 긴밀하게 얽어매야" 한다. 수많은 관찰과 모색, 사색을 행하면서, 수없이 많은 좌절과 실패를 겪으면서, "자연이 결국 진정한 영혼 속에서 벌거벗은 모습으로 스스로를 드러낼 때까지 끈질기게 매달려야" 하는 것이다.

하지만 하나의 그림이 이렇게 대상의 내적 의미와 진정한 아름다움을 드러냈다고 해서 절대 회화로 간주될 수 있는 것은 아니다. 그림은 거기서 더 나아가야 한다. 대상에 내재된 '생명력'과 '영혼'을 표현해내야 하는 것이다. 프렌호퍼의 말처럼, 그것은 '사소한 것이지만 곧 그림의 전체'가 될 수 있다. 포르뷔스의 그림에 대한 그의 지적을 되새겨보면 알 수 있다.

> "그토록 칭찬할 만한 노력에도 불구하고, 나는 이 아름다운 육체가 따뜻한 생명의 숨결을 받아 생기를 띠고 있다고 생각하지 않네. 너무 탄탄하고 둥근 이 목에 손을 얹으면 마치 대리석처럼 차갑게 느껴질 것 같군! 아니야, 친구, 이 상아처럼 흰 피부 아래로는 피가 흐르지 않아. 그녀의 육체는 존재하지만, 관자놀이와 가슴의 투명한 황갈색 피부 아래에 그물처럼 얽혀 있는 혈관과 소섬유(小纖維)가 주홍빛 핏방울로 채워져 있지 않네. 이 부분은 꿈틀거리고 있지만, 다른 부분은 움직이질 않아. 삶과 죽음이 각각의 세부에서 서로 맞서고 있는 셈이지. 여긴 여자이지만, 저긴 조각이고, 나머지는 시체야."(본문 78쪽)

프렌호퍼는 두 화가에게 자신의 그러한 모든 생각들을 담아 낸 그림이 존재하며 그 작품은 바로 〈카트린 레스코〉라고 알려준다. 이미 십 년 전에 그는 절대적으로 완벽한 그림, 그야말로 살아 있는 그림을 완성해 자신의 아틀리에 안에 보관하고 있다는 것이다. 그런데 소설의 말미에서 드러나듯, 정말로 그에게 그 작품은 단순한 그림이 아니라 하나의 살아 있는 생명체였다. 그림이 아니라, 그와 함께 울고 웃고 이야기하고 생각하는 '한 사람의 여자'였던 것이다. 그림 속 여인인 카트린은 자신만의 영혼을 지니고 있으며 오래전부터 그의 애인이자 아내로 존재해왔다.

> "내 기억에, 그녀는 분명 숨을 쉬었어! 이 가슴이 보이나? 아! 누가 무릎 꿇고 그것에 경배하지 않을 수 있겠는가? 살결이 꿈틀거리고 있어. 그녀는 곧 일어날 걸세, 기다려보게."(본문 125쪽)

그에 따르면, 지고의 경지에 이른 이 그림에서 예술은 이미 사라졌다. 거기에는 오직 여자만이, 피와 살로 이루어졌고 영혼과 생명을 지닌 한 인간만이 남아 있다. 모든 회화적 작업이 그 최상의 단계에 다다르면, 그림은 이처럼 사물에서 존재로, 무생물에서 생명체로 탈바꿈할 수 있는 것이다.

이 지점에서, 발자크는 당시 서구에서 부흥하던 '물활론(物活論)'적 사고의 한 유형을 보여준다. 화가의 노력과 능력에 따라 그림이 생명과 영혼을 갖춘 존재가 될 수 있다고 보는 시각의 근저에는 모든 물질이 그 자체로 생명이나 영혼을 지니고 있다고 간주하는 물활론적 사유가 깔려 있는 것이다. 동시대 서구 문학에서도 자주 그러한 사고의 영향을 찾아볼 수 있는데, 가령 에드가 앨런 포우의 『어셔가의 몰락』이나 오스카 와일드의 『도리언 그레이의 초상』 또는 E.T.A. 호프만의 소설을 비롯한 다수의 독일 낭만주의 작품들이 그 예다. 이 작품들은 흔히 낭만주의 소설, 고딕 소설, 환상 소설 등 당대 주류 문학 사조 중 하나에 속하는 것으로 분류되곤 했지만, 그러한 경향들 이면에는 분명 당시 사회와 문화 전반에 깊숙이 침투해있던 물활론적 사고가 자리하고 있다. 물론 물활론은 주로 초기 원시사회의 세계관에서 발견되는 사유 현상이라 할 수 있으나, 프로이트Freud의 주장처럼 그러한 사고의 근저에 '관념의 만능'이라는 원리가 작동하고 있음을 상기한다면, 강박신경증상을 보이는 근대인 혹은 현대인의 사고 체계에서도 충분히 나타날 수 있는 현상임을 알 수 있다.

이처럼 발자크는 '절대 회화'라는 꿈 혹은 강박증에 사로잡힌 한 예술가의 초상을 매력적인 이야기로 풀어냈다. 또, 절대적으로 완벽한 예술작품, 생명이 담긴 예술작품의 추구는 어쩌면 자신의 영역에서 최상의 경지에 다다른 예술가가 필연적으로 빠져들 수밖에 없는 숙명이라는 암시도 슬며시 흘리고 있다. 따라서 앞서 제기했던 추측과 달리, 애초에 회화에 대한 발자크의 사유는 비재현적 회화나 비구상 회화까지 나아간 것이 아닐지도 모른다. 프렌호퍼가 그의 그림을 통해 비재현적이고 비구상적인 추상화를 시도했다는 해석은 다소 무리한 해석 또는 억측일 수도 있는 것이다. 비록 그가 마지막에 경멸의 미소를 보였다 해도, 그는 그전에 이미 화가들의 지적을 받아들였고 자신의 실패에 괴로워했다. 이 또한 그가 과장된 연기를 한 것이라 해석할 수 있지만, 결국 그는 다음 날 자신의 그림을 불태워버리고 스스로 목숨을 끊는다. 그러니까, 절대 회화의 추구 끝에 일종의 물활론적 사유에 빠져 있던 그는 그림 속 여인이 아니라 진짜 살아 있는 여인의 아름다움을 발견한 순간, 자신의 헛된 꿈 혹은 강박의 실체를 깨달았을 것이다. 십 년 동안 자신이 한 일이라곤, 살아 있지 않은 그림에 생명을 불어넣기 위해 헛되이 덧칠하고 또 덧칠한 것뿐이라는 사실을 깨달았을 것이다. 오로지 관념만이 지배하던 자신의 세계에서 빠져나와 비로소 실재에, 현실에 눈을 뜬 것이다.

그림이 살아 있는 시간 - 화가와 모델의 자기 투쟁

누벨바그 감독 중 한 사람인 자크 리베트Jacques Rivette는 평소 발자크의 소설을 영화로 옮기는 것은 불가능한 일이라고 주장했었다. 하지만 그는 1991년에 발자크의 『미지의 걸작』을 각색해 240분에 이르는 긴 장편영화 〈누드 모델La belle noiseuse〉을 내놓는다. 프랑스어 제목 'La belle noiseuse(라 벨 누아죄즈)'는 '아름다운 싸움꾼'이라는 뜻으로, 영화 속에서 화가 프렌호퍼가 완성하고 싶어 하는 그림의 제목이기도 하다. 인트로에서 밝히듯 소설로부터 자유롭게 영감을 받아 만든 이 영화에서, 리베트는 소설 속 프렌호퍼가 꾸었던 절대 회화의 꿈, 살아 있는 그림의 꿈을 다시 구현하고자 한다. 그런데 그

방식과 관점은 분명히 다르다. 영화에서도 그림은 분명히 생명을 얻지만, 그것은 어디까지나 만들어지는 시간 동안만이다. 완성된 그림은 그 살아 있었음의 흔적, 살아 있던 시간의 기억을 간직한 채 홀로 존재하는 것으로 암시된다.

즉 영화는 '그림이 살아 있는 시간'을 보여주는 데 집중한다. 인트로의 언급과 달리 소설의 이야기 골격과 인물들을 거의 그대로 가져왔지만, 영화의 힘은 소설과는 다른 곳으로 향한다. 소설이 완벽한 그림, 절대 회화에 대한 주인공의 설명에 많은 지면을 할애한 반면, 영화는 그런 그림을 그리는 과정을 보여주는 데 시간의 대부분을 사용하는 것이다. 특히, 처음 화가가 모델에게 포즈를 취하게 하고, 펜과 종이, 붓 등을 준비하고, 습작 노트에 거칠게 모델을 그리거나 칠하는 과정은 실제 작업의 시간과 거의 동일한 느낌으로 전달된다. 마치 관객이 그림을 그리는 현장에 함께 있는 것처럼, 화가의 등 뒤에서 그림이 그려지는 과정을 처음부터 끝까지 지켜보는 것처럼, 과정 하나하나가 온전한 양태로 세밀하게 묘사된다. 평소 영화의 진정한 의미는 영화 창작 과정에 있다고 주장해온 리베트는 이 영화에서도 그림의 진정한 의미는 그것의 창작 과정에 있다는 생각을 명확하게 드러낸다.

일단, 이야기의 배경은 17세기 초 음울한 날씨의 파리에서 20세기 말 따뜻한 남프랑스로 옮겨진다. 화가 프렌호퍼는 기이하고 신비로운 인상의 괴팍한 늙은이가 아니라 부인과의 일상을 소중히 여기는, 평범한 외모의 보통 사람이다. 그런데 영화 속 프렌호퍼 역시 십 년 째 그의 마지막 작품을 완성하지 못한 채 무기력과 절망에 빠져 있다. 그 작품은 부인 리즈를 모델로 그린 〈라 벨 누아죄즈(아름다운 싸움꾼)〉인데, 그림을 그리는 작업이 너무나 고통스러워 중도에 포기하고 말았다. 하지만 그는 우연히 알게 된 젊은 화가의 부인 마리안을 보고 마음이 흔들린다. 화상(畫商) 포르뷔스와 젊은 화가의 중재로 그 여인이 다음날 아틀리에로 찾아오자, 무엇인가에 홀린 듯 다시 열정적으로 그림을 그리기 시작한 것이다.

이때부터 영화의 4분의 3에 가까운 시간 동안, 그러니까 약 3시간이 넘는 긴 시간 동안, 노화가 프렌호퍼가 젊고 아름다운 마리안을 모델로 〈라 벨 누아죄즈〉을 그리는 과정이 펼쳐진다. 마리안의 표현처럼 예배당 같은 느낌의 커다란 아틀리에 안에서 두 사람은 단둘이 마주한 채 길고 긴 투쟁과 인내의 시간을 보낸다. 화가는 처음부터 그림에 완전히 몰입하면서 수많은 시도와 실험을 행하는데, 펜과 붓으로 수십 장의 데생을 그려보고, 끝없이 모델의 포즈를 바꿔보며, 각도와 거리의 변화를 주면서 그리고 또 그린다. 아틀리에에서 나와 있을 때에도 온통 모델과 그림에 대한 생각에 빠져 있고, 아틀리에에 돌아와서는 다시 실수와 주저, 좌절을 반복하면서 원하는 그림에 다다를 때까지 끊임없이 모색하고 시도한다. 소설에서 말한 것처럼, 모델이 진정한 영혼 속에서 스스로를 드러낼 때까지 관찰하고 탐색하고 기다리면서 끈질기게 매달리는 것이다.

그런데 도중에 그는 또 다시 깊은 좌절에 빠지고 만다. 그림을 그리는 동안 모델이 철저하게 자신을 방어했기 때문이다. 유순하고 희생적이었던 부인 리즈와 달리, 마리안은 말 그대로 '아름답고 강한 싸움꾼'이었다. 비인간적이리만큼 차가운 태도로 온갖 난해한 포즈를 강요하는 화가의 요구를 묵묵히 들어주면서도, 또 텅 빈 아틀리에에서 하루 종일 벌거벗은 몸으로 뒤틀리고 꺾이고 구르면서도, 그녀는 화가의 시선에 굴복하지 않은 채 끝까지 자신의 내면을 드러내지 않고 지킨다.

그녀의 껍질을 벗겨내려는 듯 집요하게 파고드는 화가의 시선에 강렬한 눈빛으로 맞서면서 스스로를 방어하는 것이다. 하지만 화가가 그러한 그녀의 태도에 좌절하고 그림을 포기하려 하자, 이번에는 그녀가 화가를 붙잡으며 작업을 계속하자고 요구한다. 단호한 표정과 몸짓으로, 화가가 그토록 찾고자 했던 "그녀 안에 있는 것"은 그녀가 스스로 주체적이될 때 비로소 드러날 수 있다고 항변하는 것이다.

"내가 찾겠어요. 내 자리, 내 움직임, 내 시간."

그녀는 이렇게 선언한 후, 스스로 아틀리에 안에 자리를 만들어 자신이 원하는 포즈를 취한다. 화가가 강요하던 의자와 선반들을 치워버리고 편안한 매트리스를 가져온 후, 그 위에서 몸이 가는 대로 자연스럽게 움직이거나 멈춘다. 그러면서 떠오르는 느낌들과 내면의 소리들을 들려준다. 그 순간, 화가는 어떤 영감을 얻고 다시 그림을 그리기 시작한다. 모델의 몸에서 그토록 원하던 내면을 들여다볼 수 있게 되자 다시 열정적으로 그림에 빠져드는 것이다.

마침내 〈라 벨 누아죄즈〉를 완성한 프렌호퍼는 그날 저녁 아무도 보지 못하게 그림을 벽 속에 숨기고 벽돌로 막아버린다. 그 사이에 그림을 본 사람은 화가와 모델, 화가의 부인, 그리고 화가를 도운 소녀뿐이다. 따라서 소설 속 그림은 보는 관점에 따라 '미지inconnu'의 걸작일 수도 있고(비구상 그림을 시도한 경우) '미완inachevé'의 걸작일 수도 있지만(물활론적 강박의 결과물일 경우), 영화 속의 그림은 말 그대로 '미지의 걸작'으로 영원히 남게 된다.

요컨대, 영화에서 그림이 분명하게 살아 있는 시간은 그것이 만들어지는 시간이다. 모델이 화가의 눈앞에서 포즈를 취하는 순간, 화가가 그 모델을 바라보며 펜과 붓을 고르고 종이를 준비하고 종이 위에 선 하나를 긋는 순간, 그림은 잉태된다. 그리고 아틀리에라는 자궁 안에서 긴 인고와 투쟁의 시간을 겪은 후 비로소 하나의 작품으로 탄생한다. 탄생 후, 그림은 생과 사의 중간태에서 생명력을 하나의 기억처럼 새기며 존속한다. 화가와 함께 그리고 모델과 함께 살아 있던 시간 덕분에, 과거의 모든 삶이 소환되고 현재의 모든 감정들이 하나로 집약되던 그 강렬했던 '살아 있음'의 기억 덕분에, 그림은 화가의 영혼과 모델의 영혼을 생명의 흔적처럼 간직한 채 존재하게 되는 것이다.

영화는 이처럼 소설 『미지의 걸작』이 미약하게 암시하고 넘어갔던 부분을 끌어내 크게 확장해서 보여준다. 그러면서, 소설과는 다른 관점에서 절대 회화에 대해, 살아 있는 그림에 대해 이야기한다. 이러한 영화의 관점은 소설의 관점과 분명한 차이를 보일 뿐 아니라, 동시대의 회화적 관습과도 확실한 거리를 드러낸다. 영화는 소설에서 암시되었던 비구상적 회화를 넘어, 화가도 모델도 아닌 그림이 주체가 되는 회화 혹은 화가와 모델이 각자 주체가 되어 그림을 향해 나아가는 회화를 자신만의 방식으로 사유하고 있는 것이다.

부록 1

영화 <누드 모델 La belle noiseuse>

자크 리베트Jacques Rivette는
1991년에 발자크의 『미지의 걸작』을 각색해 240분에 이르는
긴 장편영화 〈누드 모델 La belle noiseuse〉을 내놓는다.
이 영화는 44회 깐느영화제 그랑프리와,
LA 비평가 협회 외국어 영화상을 수상하였다.
『미지의 걸작』을 읽고 난 독자라면
영화 〈누드모델〉에서 『미지의 걸작』이
어떻게 변용되어 표현 되었는지 궁금할 것이다.
본 부록은 해설에 상세히 언급된 영화 〈누드모델〉을 부연 설명하고,
영화의 분위기를 간접적으로 느껴볼 수 있게 구성되었다.

화가 프렌호퍼의 작업실을 찾은

젊은 화가 니콜라와 그의 애인 마리안.

운명처럼 찾아든 니콜라와 마리안의 방문으로

노화가 에두아르 프렌호퍼는

오랫동안 미완성이던 걸작에 대한 욕망에 사로잡힌다.

"걸작에는 '피'...실제 피가 묻어 있어야 해."

프랜호퍼는 니콜라에게 “연인과 그림 중
하나를 택해야 한다면 어쩌겠는가?”
라고 질문한다.

마리안은 처음에는 모델이 되기를 완강히 거부하지만,
자신의 아름다운 육체를 확인받고 싶은 호기심에
결국 프렌호퍼의 모델이 되는 것을 수락하게 된다.

프렌호퍼는 가혹하리만치
어려운 포즈들을 요구하면서,
그녀를 그리고 또 그린다.
작업은 계속 이어지지만 만족에 이르지는 못한다.

몇 번이나 모델을 서고 난 후,

마리안은 녹초가 되지만

화가의 요구에 쉽게 굴복하지 않는다.

“내가 찾겠어요 , 내 움직임, 내 시간.”

결국 화가가 요구하는 포즈가 아닌,

자신이 원하는 포즈를 취하는 마리안.

프렌호퍼의 부인 리즈는

알 수 없는 두려움에 사로잡힌다.

“하지만 예전 그림의 모델은 나야.

난 그 그림을 좋아했어. 날 꼭 지워야 했어?.“

니콜라 또한 마리안을 잃게 될까 두려워한다.

마침내, 프렌호퍼는 영감을 얻고 그림에 빠져든다.

그런데 작품이 완성에 도달할수록,

불안도 한층 증폭된다.

과연 걸작은 완성될 수 있을까?

'마리안은 바로...나다.'

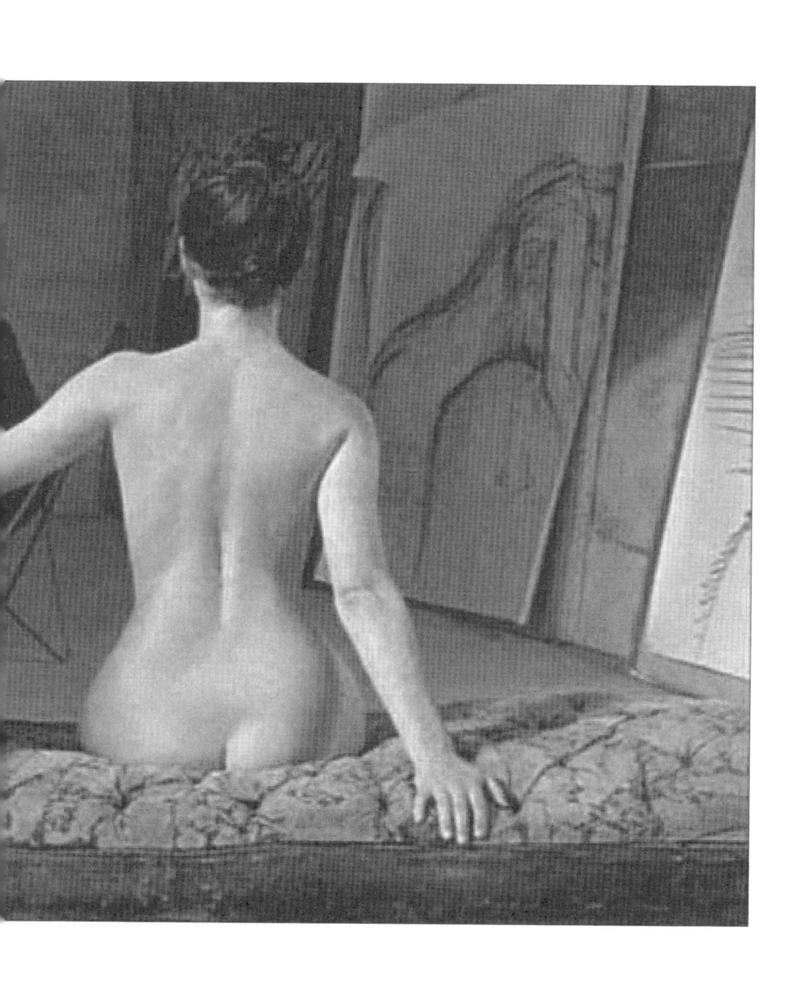

〈누드 모델 La belle noiseuse〉(1991)
감독 자크 리베트
주연 미셸 피콜리, 엠마누엘 베아르, 제인 버킨

부록 2

화가와 걸작들

『미지의 걸작』의 세 명의 주요 등장인물 중
프렌호퍼는 발자크가 창안한 화가이지만,
푸생과 포르뷔스는 실존했던 화가들이다.
이 소설에서 발자크는
실존한 화가들을 등장인물들의 대화 속에서 언급하며,
이 작품이 마치 실제 일어났던 사건인 것처럼 느껴지도록 한다.

본문 중, 화가의 이름이 언급된 문장들

그는 한참동안 거리를 걷다가 마침내 집 입구를 넘어 들어갔다. 그리고 프랑수아 포르뷔스 선생이 집에 있는지 물어보았다.(69쪽)

아마도 아틀리에 안에서는 루벤스 때문에 마리 드 메디시스 왕비에게 버림받은 앙리 4세의 화가가 작업하고 있을 터였다.(70쪽)

자신이 만들어낸 어두운 분위기 속에서, 위대한 화가 렘브란트가 조용히 걷고 있는 듯한 액자 없는 그림 한 점을 떠올리게 될 것이다.(74쪽)

"자네는 한스 홀바인과 티치아노를, 알브레히트 뒤러와 파올로 베로네세를 동시에 모방하려 했지. 물론 그건 그럴듯한 야망이야!"(80쪽)

"패배해 본적이 없는 그 화가들은 어떤 핑계들에도 속아 넘어가지 않는다네. 그들은 자연이 결국 진정한 영혼 속에서 벌거벗은 모습으로 스스로를 드러낼 때까지 끈질기게 매달리지. 라파엘로는 그렇게 했네."(84쪽)

"자네는 너무 빨리 내려놓았어. 평범한 사람들은 칭찬하겠지만 진짜 전문가는 웃겠지. 오, 마뷔즈! 오 나의 스승님!"(86쪽)

"오! 오!" 노인이 소리쳤다, "자네의 이름은?"
젊은이는 그림 아래에 '니콜라 푸생'이라고 적었다.(88쪽)

푸생은 거무스름한 떡갈나무 판자 위에 놓인 멋진 여성 초상화를 보며 소리쳤다.
"정말 아름다운 조르조네의 그림이네요!"(96쪽)

"내가 그에게 내 보물을 주지. 르 코레주와 미켈란젤로와 티치아노의 그림들을 주지. 먼지에 남은 그의 발자국에 입맞춤이라도 하겠네."(116쪽)

Portrait of an Italian Lady

프란츠 포르뷔스(Frans Pourbus, 1569-1622)

17세기 초를 대표하는 초상화가 중 한 사람으로, 앤트워프에서 출생했으며 파리에서 사망하였다. 동명의 아버지와 구분하기 위해 '소(小) 포르뷔스(Frans Pourbus le Jeune)'라고도 불린다. 뛰어난 초상화 실력 덕분에 유럽 전체에서 명성을 얻었다.

앤트워프에서 견습 생활을 마친 후, 네덜란드의 스페인 총독 궁정을 거쳐 이탈리아 만토바 궁정에서 채용되어 활약했는데, 루벤스도 이 시기에 만토바 궁정에서 활동했다. 이 후, 1609년에 마리 드 메디시스를 따라 파리로 가서 작업을 하였다. 『미지의 걸작』의 내용과는 달리(루벤스 때문에 마리 드 메디시스에게 버림받은 앙리 4세의 화가라는 표현), 그는 죽을 때 까지 마리 드 메디시스의 궁정화가로 봉직했다.

작품에 드라마틱한 상황을 표현하거나, 풍경을 세밀하게 표현하는 경우는 거의 없었고, 대상의 의상이나 장신구등을 정교하게 묘사하는 방식의 초상화를 다수 남겼다.

Le Triomphe de Neptune ou La Naissance de Vénus (détail)

니콜라 푸생(Nicolas Poussin, 1594-1665)

푸생은 고전주의를 주도한 17세기의 가장 유명한 서양화가 중 한 사람이다. 그는 18세가 되는 해에 파리로 가서 본격적인 화가의 길을 걷는다. 『미지의 걸작』에서 발자크가 상상한 부분이 바로 이 시기에 해당된다.

르네상스 미술인들은 '수학'이 그들의 이상에 도달하기 위해 필요한 학문이라 여기고 건축, 회화, 조각에 수학을 적용한다. 푸생도 이러한 영향을 받아 수학적 원리를 적용한 소묘를 중요하게 생각했다.

그는 고전주의자답게 역사의 한 장면을 선택해서 그리는 것을 선호했으며, 드라마틱한 상황 하에서 인물의 감정이 생생히 드러나는 작품들을 다수 남겼다. 명확한 형태를 보여주는 그의 작품에 대해 세잔은 '자연에서 푸생을 재현하기를 원한다'는 말을 남겼는데, 이 말은 후대에 역설적이게도 푸생에게 세잔과 대비되는 이미지를 심어주었다.

17세기 프랑스 아카데미에서 벌어진 '색채 논쟁'은 푸생주의(데생 옹호) 대 루벤스주의(채색 옹호)의 대립으로 평가된다. 푸생을 추앙하던 궁정 수석 화가 샤를 르 브룅(Charles Le Brun)과 루벤스를 숭상하던 비평가 로제 드 필(Roger de Piles)이 색채 논쟁의 중심에 있었던 인물들이다. 이 논쟁은 선을 중시한 푸생의 화풍과 색을 중시한 루벤스의 화풍 중 '어느 것이 더 예술적 가치가 있는가?' 라는 논쟁으로 17세기 내내 활발하게 전개 되었다.

Descent from the Cross

페테르 파울 루벤스(Peter Paul Rubens, 1577-1640)

17세기 바로크를 대표하는 화가다. 화려함과 드라마틱함이 동시에 느껴지는 그의 그림들은 강렬한 색상, 빛과 어둠의 완벽한 조화를 보여준다. 수준 높은 인문학적 지식과 화려한 언변으로 외교관으로서 활동하기도 했으며, 왕족들에게 각별한 사랑을 받았다. 세 폭 제단화인 〈십자가에 매달리는 예수〉와 〈십자가에서 내려지는 예수〉는 앤트워프에 있는 성모 마리아 성당을 위해 그려졌는데, 이 작품들로 루벤스는 플랑드르의 대표적인 화가로서 자리매김할 수 있었다. 이 그림들은 일본 지브리 사의 유명 애니메이션인 〈플란다스의 개〉에서 주인공 네로가 그토록 보고 싶어 했었던 그림들이기도 하다.

1621년 루이 13세의 어머니이자 앙리 4세의 왕비였던 마리 드 메디시스가 루벤스에게 그녀의 생애에 관한 24개의 대형 연작들을 의뢰한다. 그는 그녀의 일생을 신화의 한 장면처럼 드라마틱하게 표현했다. 총 21개의 연작이 완성되었고, 이는 그의 모든 미술적 기교가 집대성된 걸작으로 평가 받는다.

『미지의 걸작』에서는 포르뷔스가 루벤스 때문에 마리 드 메디시스에게 버림받았다고 설명되는데, 실제로 두 사람이 마리 드 메디시스 왕비를 위해 활동한 시기는 거의 겹치지 않는다. 다만, 루벤스의 마리 드 메디시스 연작이 지니는 명성이 포르뷔스의 마리 드 메디시스 초상들보다 더 우위에 있음을 상징적으로 암시한 듯하다.

Self-Portrait

렘브란트 판 레인(Rembrandt Harmenszoon van Rijn, 1606-1669)

빛과 그림자의 마술사로 불리며 네덜란드 미술의 황금기를 열었다. 특히 그가 남긴 수많은 자화상은 한 개인의 변해가는 심리와 감정을 탁월하게 표현한 것으로, 나이가 들고 삶이 기울어 감에 따라 자아의 변화를 겪는 개인의 드라마가 고스란히 담겨있다.

렘브란트는 1606년 암스테르담에서 약 50km 떨어진 레이던에서 태어났다. 유년시절 그는 학문보다는 그림 그리기에 열중하였고, 그의 부모는 결국 그가 화가들에게 미술 수업을 받을 수 있도록 했다. 1632년 거처를 암스테르담으로 옮긴 후, 외과의사 조합의 주문으로 〈튈프 박사의 해부〉를 제작하여 화가로서 큰 명성을 얻게 된다. 상류층 여인인 사스키아와 이 시기에 혼인한다.

그는 젊은 나이에 명성을 얻었으나, 1642년에 그린 〈야경〉(그의 미술 양식의 전환점이 된 걸작으로 평가 받는다.)이 당시에는 악평을 받아 초상화가로서 쌓아온 명성을 잃고 대중은 그때부터 서서히 그를 외면한다. 같은 해 아내마저 죽고 자신의 심한 낭비벽으로 인해 형편 또한 기울게 되지만 이에 굴하지 않고 작품에 정열을 기울였다. 1656년 파산 선고로 빈민에 가까운 생활을 하였음에도 후세에 걸작으로 평가되는 작품을 계속 발표했다. 식사도 제대로 하지 못했던 만년의 비참한 삶에서도 인간의 감정을 자신만의 방식으로 묘사한 그림을 그려 내던 그는 1669년 암스테르담에서 쓸쓸히 삶을 마감한다.

Anne of Cleves

한스 홀바인(Hans Holbein le Jeune, 1497-1553)

서양 미술사에는 두 명의 한스 홀바인이 있다. 아버지 한스 홀바인(Hans Holbein l'Ancien, 1465-1524)과 아들 한스 홀바인(Hans Holbein le Jeune, 1497-1553)이다. 좀 더 유명한 아들 홀바인은 독일 르네상스를 대표하는 화가이며, 특히 초상화 예술의 전통을 그 정점으로 끌어올린 화가로 평가받는다. 모델에 대한 냉정하고 예리한 관찰과 정확한 세부 묘사, 풍부한 빛, 명쾌한 화면 구성 등이 특징이다. 독일과 스위스에서 이미 명성을 얻었으나, 영국으로 건너가 헨리 8세의 궁정화가가 된다.

그가 영국에서 그린 그림의 모델들은 헨리 8세 시대의 드라마를 이루던 인물들이다. 절대 군주 헨리 8세, 『유토피아』의 작가 토마스 모어, 토마스 모어의 정치적 숙적이었던 토마스 크롬웰과 같은 인물들이 한스 홀바인에 의해 생생하게 묘사되었다.

흥미로운 것은 헨리 8세의 네 번째 결혼에 한스 홀바인의 초상화가 깊이 관여되어 있다는 사실이다. 당시 재상이던 토마스 크롬웰은 '클레페 공국의 앤'을 왕비로 추천하면서 한스 홀바인이 그린 앤의 초상화를 헨리 8세에게 보여주었다. 왕은 그 그림이 마음에 들었고, 결혼은 성사되었다. 그러나, 왕은 실제 신부의 얼굴이 초상화와는 다르게 아름답지 않다며 격노했고, 결국 토마스 크롬웰은 왕의 총애를 잃고 만다. 홀바인이 얼마나 인물의 장점을 잘 살리고 단점을 훌륭하게 보완하여 그렸는지 보여주는 좋은 예이다.

Polyptych of the Resurrection - Archangel Gabriel

티치아노 베첼리오(Tiziano Vecellio, c.1488-1576)

16세기 중엽 서양 미술사의 중심 도시 중 하나였던 베네치아를 대표하는 화가다. 조반니 벨리니에게 본격적인 그림 수업을 받았으며, 동문이며 스승이기도 한 조르조네에게도 영향을 받게 된다.(이 시기의 두 대가의 화풍은 꽤 비슷해서, 하나의 작품을 두고 과연 두 화가 중 누구의 작품인지에 대한 논의가 오늘날에도 지속되고 있다.) 조르조네가 일찍 사망한 것과 달리 장수하며 작품 활동을 했다. 찬란한 빛의 묘사가 돋보이는 〈성모승천〉이 큰 성공을 거두면서 티치아노의 시대가 열렸음을 알렸다. 또한 〈우르비노의 비너스〉는 관능적인 포즈와 도발적인 시선으로 유명하다.

색채를 단순히 많이 사용한 것이 아니라, 가장 순수하다고 여겨지는 색채를 결정하여 제한적으로 사용하는 방식으로 작업했다. 그는 다음과 같은 말을 남겼다. "훌륭한 화가에게는 오직 세 가지 색, 검은색, 흰색, 빨간색만 필요하다."

살아생전 큰 명성을 얻었기에, 후원자들이 줄을 섰다. 그는 종이에 예비로 밑그림을 정교하게 그리지 않은 채 캔버스에 직접 간략한 스케치만 하고 작품을 그렸는데, 그에게는 구도의 균형을 잡고 조화의 핵심을 이루는 것이 '색채'였기 때문이다. 유럽 화단에서는 "형태는 미켈란젤로에게서, 색채는 티치아노에게서 배워라"라는 말이 오랫동안 전해져왔다.

The Four Horsemen of the Apocalypse

알브레히트 뒤러(Albrecht Durer, 1471-1528)

독일 미술의 아버지로 추앙받는 화가. 북유럽 미술에서 최초로 르네상스를 성취한 화가로 평가된다.

천재적인 재능을 지닌 화가였을 뿐만 아니라, 판화가, 작가로도 활동하며 다방면에 두각을 나타냈다. 회화 작품을 통해 이미 명성을 얻은 상태에서 판화를 통해 그 명성을 더욱 드높이고, 대중적인 성공도 함께 거두었다. 가장 유명한 작품은 1498년 제작된 목판 연작 〈요한 묵시록〉으로, 이것은 유럽 목판화의 기념비적 작품이라 일컬어진다. 이 작품은 16점의 작품으로 이루어져 있으며 그 가운데서도 〈묵시록의 네 기사〉가 특히 유명하다. 정밀한 선으로만 표현되었음에도 불구하고 생생한 명암과 질감이 그대로 느껴진다. 에라스무스는 '검은 선의 아펠레스(고대 그리스의 전설적인 화가)'라며 그의 표현력을 칭송하기도 했다.

'나, 뉘른베르크의 알브레히트 뒤러는 28세에 지울 수 없는 색으로 나를 그렸다'

그의 바램대로 그는 사후에도 명성을 잃지 않았다. 그의 판화는 전 유럽에서 끊임없이 복제되었으며, 뉘른베르크에는 뒤러의 동상이 세워졌다.

Lucretia

파올로 베로네세(Paolo Veronese, 1528-1588)

파올로 베로네세는 후기 르네상스 시대를 대표하는 베네치아 화가다. 티치아노에게 큰 영향을 받아 화려한 색채의 대형 장식화를 주로 그렸다. 베로나에서 태어나서 그곳에서 도제 생활을 하며 청년기를 보냈고, 도시의 이름에서 자신의 이름인 '베로네세'를 차용했다.

1553년경 그는 베로나를 떠나 베네치아로 간다. 베네치아에서 활동을 시작한 그는 대규모의 프레스코와 유화 작업들을 맡아 큰 인기를 누리게 된다. 베네치아에는 화려한 저택을 가진 부유한 이들이 많았고, 그들은 그림을 통해 자신들의 집에 고전적 호사스러움을 부여하기를 원했다. 베로네세는 이러한 임무에 가장 적합했던 화가로, 건축물들을 옛 로마의 웅장함을 상기시켜주는 공간으로 표현하기 위해 화려하고 웅장한 대형 그림을 주로 그렸다.

대표작 〈가나의 혼인식〉은 현재 루브르에 소장되어 있으며, 세계에서 가장 큰 그림으로 알려져 있다. 이 그림은 '요한복음 2장 1-11절'에 근거해 그려진 그림으로 알려져 있으며, 130명에 달하는 인물의 표정과 복장들은 모두 섬세한 디테일까지 살려서 표현되어 있다. 이 그림은 나폴레옹이 이탈리아 정복전쟁 중에 전리품으로 프랑스에 들고 왔으며, 그림이 너무 커서 통째로 옮길 수가 없어 반으로 잘라서 가져온 것으로 유명하다.

Three Graces

라파엘로 산치오(Raffaello Sanzio da Urbino, 1483-1520)

르네상스 시대 이탈리아의 화가이며, 레오나르도 다 빈치, 미켈란젤로와 함께 흔히 '르네상스 3대 거장'으로 불린다. 화가의 아들로 태어나 일찍부터 조형, 감정, 빛, 공간표현에서 두각을 나타냈다. 1504년, 그는 미켈란젤로와 레오나르도 다 빈치가 있는 피렌체로 이주하고, 이곳에서 〈성모 마리아와 아기 예수〉를 비롯한 수많은 작품을 제작했다. 다른 두 천재(다 빈치, 미켈란젤로)와는 달리 온화하고 상냥한 성품에다, 뛰어난 미남이라 교황을 비롯한 고위층들의 사랑을 한몸에 받은 것으로 알려져 있다. 르네상스 절정기의 대가답게, 그의 그림은 고전주의를 완성한 것으로 칭송받으며 19세기 전반까지 아카데미의 규범으로 받들어지게 된다.

특히 〈아테네 학당〉은 플라톤, 유클리드, 아리스토텔레스 등 고대 그리스의 학자들이 학당에 모인 것을 상상해서 그린 그림으로 유명하다. 또한 만년에 심혈을 기울였으나 미완성으로 남긴 〈그리스도의 변용〉에서는 기존의 고전양식을 해체하고 바로크 양식으로 이행하려는 싹이 엿보이기도 한다.

교황청의 건축, 미술 분야 감독을 맡고 있던 라파엘로는 37세에 갑자기 요절한다. 그가 상당히 마음에 들어 추기경 직위까지 내리려 했던 교황 레오 10세는 그를 애도하며 국장을 치르고, 유해를 로마 판테온에 안치한다.

The Virgin and Child Seated at the Foot of a Tree

얀 마뷔즈(Jan Mabuse / Jan Gossart, 1478-1532)

플랑드르 회화에 이탈리아 르네상스 양식을 도입한 선구자 중 한 사람이다. 그는 많은 플랑드르 화가들처럼 벨기에에서 태어나, 1503년엔 앤트워프 화가 조합에 소속되어 그림을 그렸다.

그러나 1508년경 로마로 파견되어 고대 조각, 르네상스 건축에 대해 공부를 시작하는데, 이후 이탈리아 화풍을 조금씩 작품에 도입한다. 즉, 고전적 건축물을 배경으로 신화적 인물을 즐겨 묘사한 작품들을 남기게 된 것이다. 그는 전통과 새로운 흐름 안에서 혼돈의 시간을 보내며, 15세기 플랑드르 화가들의 회화 전통을 충실히 따르면서도 새로운 양식도 받아들인 균형적인 작품들을 남겼다.

고전적 주제와 누드화를 즐겨 다루었고, 후기 고딕의 관능성에 정밀한 사생을 결부시킨 마니에리스트로 보는 이들도 있다.

The Tempest

조르조네(Giorgione, **본명** Giorgio Barbarelii, 1478-1510)

16세기 베네치아 미술의 혁신을 불러온 장본인이다. 시적이고 암시적인 풍경화로 당대 미술의 혁신을 불러왔으며, 그가 이룬 성과를 티치아노에게 계승하였다. 개인적인 이야기가 거의 남아있지 않아 더욱 신비하게 남아있는 화가이기도 하다.

1477년 이탈리아 베네토에서 태어나 어린나이에 베네치아로 건너가 12세부터 조반니 벨리니의 공방에서 도제 수업을 받는다. 벨리니는 당시 베네치아 화파를 이끌고 있던 화가였고, 조르조네는 벨리니로부터 색채에 대한 선택과 색을 다루는 법을 익힌다.

대표작인 〈폭풍우〉에서 그는 풍경에 대한 혁신적인 접근을 처음으로 시도한다. 도시의 풍경을 인물만큼 중요한 요소로 격상시켰기 때문이다. 또한 그림 속 요소들은 수수께끼 같은 의미를 품고 있어 여전히 의미하는 바에 대한 논쟁이 활발하다. 전체적인 이미지를 따뜻한 빛으로 밝게 처리한 기법은 오늘날 '조르조네스크'라 불린다. 32세로 페스트에 걸려 생을 마감했는데, 짧은 생애에도 불구하고 그가 도입한 새로운 양식은 같은 시대의 베네치아 화가들에게 지대한 영향을 미치게 된다.

Assumption of the Virgin

르 코레주(Le Correge / Antonio Allegri, 1489-1534)

본명은 안토니오 알레그리. 코레주 지방에서 출생했기 때문에 '르 코레주'라 불린다. 이탈리아 르네상스 최전성기를 대표하며, 명암법, 빛, 채색에 있어서 최고의 경지를 보여준다.

코레주는 색과 빛을 사용하여 보는 사람의 시선을 형태의 방향으로 유도해내는 방식의 명화들을 남겼다. 즉 빛의 배치에 따라 감상자의 시선은 밝은 쪽으로 인도되었고, 이로 인해 강조하고자 하는 부분을 살릴 수 있었다.

그의 대표작인 〈성모승천〉은 파르마 성당의 둥근 돔(쿠폴라) 천장에 그려진 그림이다. 중앙의 밝은 빛 표현과 숙련된 원근법을 통해 실제로 성당 천장에 뚫려있는 구멍으로 성모가 승천하는 장면을 목격 하는 듯한 기분을 느끼게 해준다. 그의 그림은 이후 18세기 로코코 회화의 섬세함과 낭만성에 큰 영향을 미치게 된다.

Drawing of a Head

미켈란젤로(Michelangelo di Lodovico Buonarroti Simoni, 1475-1564)

르네상스를 대표하는 조각가이자 건축가이며 화가이자 시인이다. 레오나르도 다 빈치, 라파엘로 산치오와 함께 르네상스를 대표하는 3대 거장 중 한 명이다.

미켈란젤로는 살아 있는 동안은 물론 현대에 이르기까지 여러 세기에 걸쳐 가장 위대한 예술가 중 사람으로 불리고 있다. 그의 수많은 회화, 조각, 건축 작품들은 현존하는 가장 유명한 작품들로 손꼽힌다. 대중에게 가장 잘 알려진 작품은 시스티나 예배당의 천장화와 같은 회화임에도 불구하고, 미켈란젤로는 스스로의 정체성을 조각가라고 규정했다. 그는 24세에 조각한 '피에타'로 순식간에 거장의 반열에 올라서게 된다.

미켈란젤로의 양식은 조각, 회화, 건축 각 분야에 걸쳐서 르네상스의 완성에 기여하는 동시에, 특히 생의 후반부에 있어서는, 내면적 정념 표출을 강조하는 육체 표현과 복잡한 구성으로 마니에리즘, 바로크를 예고하고 있다. 젊은 시절 피렌체 인문주의의 영향을 받은 그의 작품들은 동시대는 물론 후세에까지 커다란 영향을 미쳤다.

미켈란젤로는 노년에 접어들어 시력이 약해져 앞이 거의 보이지 않았음에도 죽기 며칠 전까지 새로운 피에타 작업에 매달려 있었다. 그의 마지막 말은 "이제야 조각을 조금 알 것 같은데 죽어야 한다니…."였다고 한다.

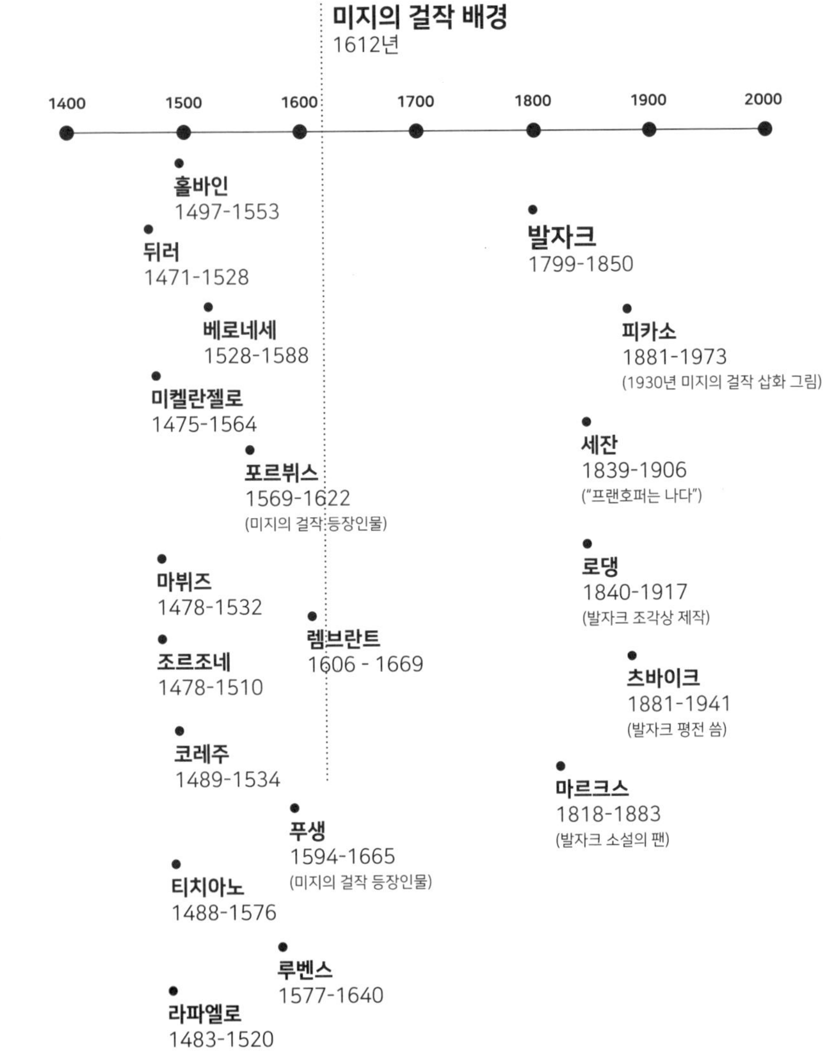
미지의 걸작 배경
1612년
1400
1500
1600
1700
1800
1900
2000
홀바인
1497-1553
뒤러
1471-1528
베로네세
1528-1588
미켈란젤로
1475-1564
포르뷔스
1569-1622
(미지의 걸작 등장인물)
마뷔즈
1478-1532
조르조네
1478-1510
렘브란트
1606 - 1669
코레주
1489-1534
푸생
1594-1665
(미지의 걸작 등장인물)
티치아노
1488-1576
루벤스
1577-1640
라파엘로
1483-1520
발자크
1799-1850
피카소
1881-1973
(1930년 미지의 걸작 삽화 그림)
세잔
1839-1906
("프랜호퍼는 나다")
로댕
1840-1917
(발자크 조각상 제작)
츠바이크
1881-1941
(발자크 평전 씀)
마르크스
1818-1883
(발자크 소설의 팬)